Question

↘

Answer

所有人
　　问
所有人

韩　寒
监　制

ONE
Book
「一」工作室主编

C·S

湖南人民出版社

每个保安都会问三个终极问题：

1. - 你是谁？
2. - 你从哪里来？
3. - 你到哪里去？

Chapter 1

1. - 你在我的毕业纪念册上写了什么？

2. - 你疯了么？

3. - 韩寒遇到过什么尴尬事？

4. - 范冰冰和李冰冰的区别是什么？

5. - 他们到底在唱什么？

6. - 死后尸体怎么办？

7. - 你爱未出生的宝宝么？

8. - 听说静修很流行？

9. - 男人被强奸怎么办？

10. - 挖煤之后怎么想？

11. - 得了艾滋病，第一时间想什么？

12. - 如何跟踪不被发现？

13. - 被赖账以后怎么办？

14. - 吃肉不环保？

15. - 如何修理公车色狼？

16. - 淘宝上谁花钱最多？

17. - 兰溪路名人见过没？

18. - 你痒么？

19. - 如何一眼认出逃票者？

20. - 从私立学校逃出来了么？

21. - 知名人物怎么给后代取名？

22. - 穿得越少越开心？

23. - 如何绷烂上衣？

24. - 人生是什么？

25. - 飞机在空中飞行时驾驶员在做什么？

26. - 嫁给兵哥哥好不好？

Chapter 2

p64

拧

Chapter 3

Chapter 4

装

Chapter 5

Summary　内容提要

p2 - p 63

本章节问答更倾向于

采写：蕾蕾菜 等

例句："范冰冰和李冰冰的区别是什么？"

Chapter 1

城市是什么?

欲望和恐慌的结合体。

Q **张天壹问何未来**

1.高中毕业前夕你在我的毕业留言簿上洋洋洒洒写了好几页，而后又把它全撕了下来拿到墙角用打火机点着了。当时我都没来得及看，直到现在我都不知道你在上面写了什么，你还记得你写的什么吗？2.高中毕业时为什么把你和女朋友的亲密合影和一支钢笔交给我保管？快十年了，照片和钢笔现在还在我家。3.大学时的某个周末我第一次跨市去你们学校找你玩儿，完了之后你说送我上火车，我们坐着公交车前往火车站，在某个公交站台下车后你一句话没说转身又上了我们刚刚下来的那辆公交就再也没有回来，为什么？我在原地等了许久，后来我就自己问路去了火车站坐车回家了。

A **何未来答张天壹**

1.留言簿写的什么真的忘记了，当时好像是你说了句什么话我一火就给撕下来烧了。2.那任不是现任，所以不好多说。其实我也记不起为什么就把东西放你那儿了，你愿意留就留着吧。3.这事儿你好像问过我，那次是下车后发现烟落在车上了就回去拿，想不到人太多没挤下来，就这事儿你记这么多年啊？

（张天壹看到答案后对本书编辑表示：很显然我对答案不太满意。编辑问他是否后悔问了这些问题，张天壹说：后悔？后悔倒不会，您以为我是女生吧？哈哈，本人性别，男，十多年的友情也不会因为这点小事有所影响，只是他说了跟没说没什么两样。）

(2)

Q *Darkdaddy问梁吟*

你为什么从毕业到现在一直要坚持天南海北地到处
考公务员，考了八次都失败了，却还要坚持考，到
底是为什么，你疯了吗？（Darkdaddy对本书编辑
说："我喜欢她很多年，而且曾经含辛茹苦陪着她
去考了全国好几个地方的公务员。可她现在还是不
喜欢我，于是我们目前就很少联系了。你们打电话
的时候能不能顺便以你们的名义劝劝她，让她喜欢
我啊？哈哈，谢谢啦！或者我可不可以再加一个问
题问她，'做我的女朋友行不行？'"）

A 以下为梁吟回复编辑的邮件

收到你的来信很惊喜，迟复为歉。
没想到Darkdaddy这么细心，连我考了八次了他都
记得，事实上我自己都没有数过。从2009年毕业到
现在，我的确参加了很多次公务员考试。首先，我
喜欢做这件事情，我一直坚持学习，这种学习让我
感到很充实也很快乐；其次，我也并非一直失败，
我在每一次考试中得到锻炼，从成绩平平到进入面
试，不仅仅是自身水平不断提高，而且所接触的竞
争者的层次也在不断提高，这些都是我的宝贵经

验；另外，每次外出考试对我来说都是一次美好的旅行，大江南北也有我的足迹，就算辛苦我也觉得很快乐。我目前已经在一个事业单位工作了，也是我通过考试得来的职位，工作本身不忙，我还可以继续学习，只要我能考，只要允许我考，我还会继续下去的，这也是我奋斗的一种方式。

对于他问到的那个Yes或No的问题，我的答案肯定是令他失望的。Darkdaddy是个好人，也是个很有前途很优秀的绩优股，他的每一步都比我辉煌，但是我始终是个相信感觉的人，他对我的好我很依赖、很感激，这样的朋友我珍惜，但是我是不会勉强自己的感情的，也希望他能清醒地认识这一点吧。我喜欢的人，他是不会问这样两个问题的，因为他会懂。

③

Q **化腐朽为绵掌问韩寒**
你记忆中的尴尬事是什么啊？说来听听。

A **韩寒答化腐朽为绵掌**
1.上学，食堂吃完午饭，向心仪的女孩子表白，她一直异样地看着我。后来才知道我脸上挂着饭粒。

2.几年前，电话采访，说半天驴唇不对马嘴，于是想在电话本里把这个记者的名字存成"傻记者，再不接"，手机是诺基亚的塞班系统，一走神把存入电话本选成了发送一个信息，脑子抽筋了居然没发现，直到按确认，手机显示信息已发送才回过神，恨不得空中把这消息抓回来。揪心等待半天，记者回了个短信，是省略号。出于愧疚，以后每次都接他电话采访。

3.汽车比赛试车，上去开了半天，感觉不对，指责车队将我的幸运反光镜以及女朋友送的爱心排挡头都换了。车队问半天，没查出是哪个技师干的。我再去检查时又完好如初。大家百思不得其解，直到某天我为队友试车，才发现那次是我自己爬错了一台。

4.有次开车，红灯停车，被追尾，下车，后车司机愤怒道："你为什么踩刹车？"我居然条件反射来了句

"对不起"。缓过神来才问对方："你为什么不踩刹车？"

5.小学放学都是骑自行车回家，从大马路拐到回家的小路是个下坡的高速弯，每次都喜欢全速下坡，享受劈弯快感。弯道边是个老人活动室，观众多，所以更兴奋。终于有一次在众目睽睽之下摔得鼻青脸肿。因为我忘了自己那天是从马路的反方向骑过来的。

6.初中第一次约会，骑车后座带女孩子，蹬得格外卖力，链条断了。

7.好几年前，记者问我对网络恶搞你是同性恋怎么看，你是攻是受。当时不懂攻和受的意思，回了一句，我当然是公。

Q **爱八卦的小孩问王中磊**

1.范冰冰和李冰冰，这两个姑娘都是美女，我都喜欢。你觉得她们两个人除了姓氏不同以外，最大的区别是什么？

2.你平常看娱乐杂志么？作为国内娱乐圈大哥大，你最讨厌的一本娱乐杂志是？

A **华谊兄弟总裁王中磊答爱八卦的小孩**

1.她们俩都是女演员中的奇葩，出道时间差不多，小范一出道就有很好的机会，冰冰（指李冰冰，下同）是一路积累经验。她们的共同点是都很努力，都带来了很大回报。我想她们特别不一样的地方是个性，个性决定命运。小范是非常积极主动的，冰冰是那种闷声干活的。冰冰现在已经是一个全方位的艺人，不管是公众形象，还是公益形象，包括专业上的努力，都很全面。小范更多的是专业上的成绩。以前我就和小范说，要充分利用自己的优势，女演员长得好看、妩媚不是坏事，关键是如何利用自己的特点。冰冰刚入行的时候不自信，觉得自己长得不是特别漂亮，不了解未来的方向，但是她不气馁，我觉得她像女版的"士兵突击"，现在她非常自信。而小范我觉得目前极需要一个代表性的作品。我觉得自从《手机》以后，她没有一个特别有代表性的作品。

2.娱乐杂志最重要的就是"娱乐"，它一方面要是娱乐圈风向标，另一方面，要能娱乐大众。我以前有特别讨厌的一份娱乐报纸，后来它停办了，我觉得那个报纸没有太多立场。一个杂志如果没有立场肯定不行。至于八卦这些，我一向觉得不必太认真，有时候演员被拍了，很委屈地给我电话，我就说，这说明你还被关注着。（答案截至2010年4月）

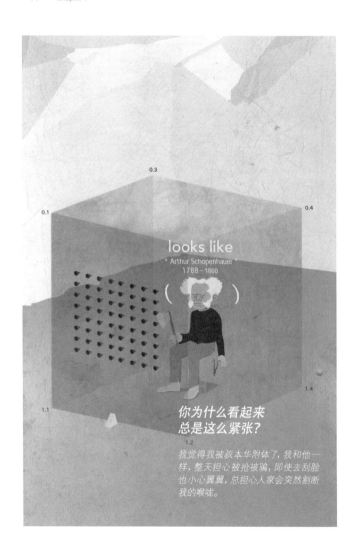

5

Q **老段问随便一个人**

我们家附近有个文峰美容美发店，相信很多像我这样住在上海中环以外的朋友家附近，都少不了这家彪悍的店——不是说技术彪悍，我是说，他们每天上午站在店门外集体唱歌的样子真的太彪悍了。那神情、那姿势，和春晚上歌颂祖国大好河山的演员们一模一样。我好奇的是，他们到底在唱什么？

A **编辑答老段**

我们非常负责任地告诉你，经过编辑们的仔细聆听，他们唱的是"文峰版"《感恩的心》。歌词是这样的："我来自偶然，像一颗尘土/有谁看出我的脆弱/我来自何方，我情归何处/谁在下一刻呼唤我/天地虽宽，这条路却难走/我看遍这人间坎坷辛苦/我还有多少爱，我还有多少泪/要苍天知道我不认输/感恩的心，感谢文峰/伴我一生让我有勇气做我自己/感恩的心，感谢陈总/花开花落我一样会珍惜。"看到修改过的亮点了么？另外，你还可以上他们公司的网站看一下，有一个栏目叫"总裁风采"。

尸体如何处理？

1.   刘阿飞，男，IT技术员

请把我烧了，希望我体内留存的重金属足够塑一座纪念碑。

2.   潘华，女，会计

作为一个体重150斤、身高161厘米的女胖子，我想死后应该能用尸体炼点油出来，平衡一下市场供需关系，为控制油价做出贡献。

3.   王科，男，销售

作为一个吃着苏丹红、敌敌畏以及三聚氰胺长大的孩子，我想把我的尸体捐献给进行生物武器研究的机构，看看有什么武器比我的尸体更厉害。

4.   舒一白，女，前台

如果我没活到60岁，并且比我老公先死的话，请把我的骨灰偷偷撒在家里房间的那盆吊兰里，我想看看那个死老头老了以后还行不行。毕竟，他跟我夸下海口说60岁的男人也有性能力。

5.   任菲，女，媒体编辑

烧了，肯定得先烧了，然后希望把骨灰做成戒指，比如藏在宝石的背面，当成家族徽章之类的一代一代往下传。

6.   徐梅，女，行政

能把我的骨灰做成砂槌么？用来替代砂槌里的碎石子什么的，音色一定特别吧。你知道，我的梦想其实是玩音乐，谁知道做了个行政呢！

6

Q *查无此人问anyone else*

你希望怎么处置（处理，安葬，料理 or 打发）自己的尸体？我舅舅给我外公外婆预订了几万块的公墓（真是前卫的做法，一家子人在饭桌上讨论墓地特来劲），可我觉得认识的不认识的埋在一块儿有什么意思啊，夜里无聊，阴风阵阵的，还被逼着围成圈圈聊天。万一生前生性孤僻呢，到了地府还被孤立。于是本问题就应运而生……举个例子，我希望我的骨灰能撒在海上。千万不要是那种我和我妈花了一万块参加旅行团（一路都是购物店，嘿）去的渤海那块儿，脏。活着邋遢，死了就得干净点儿。海，就我国南海曾母暗沙以北吧，不能死了还被人扣上不爱国的大帽子。自从同学欧洲夏令营回来后说埃菲尔铁塔下面脏死了，我就对在阴雨蒙蒙的日子里站在伦敦塔桥上静静地看泰晤士河水缓缓流出（or 流入）伦敦的理想彻底不感冒了。一生没给国家做出什么贡献，死了也不愿占着那一方泥巴，骨灰撒了挺好，免得将来城市发展规划到了农村边缘，还影响国土建设。想知道不同的人对这个问题怎么想。

A *编辑答查无此人*

我们采访了一些人，他们的答案请见左页。

⑦

> p 55

Q **下雨天万岁问老婆孙平平**
你爱我们即将出世的宝宝么?

A **孙平平答下雨天万岁**
因为这个宝宝来得非常非常意外，所以最开始挺迷
茫的，有种一切都被打乱了的感觉。但是现在我非
常非常爱这个宝宝，而且很期待。一切的生活重心
都是他/她。

8

> p 60

Q **方块5问一个参加过静修的人**

听说现在静修很流行啊？富豪们都爱这个。有去过的人能给我讲讲到底是怎么个静修法么？前几天听一人说，静修的效果相当神奇啊！感觉滋阴壮阳延年益寿。

A **不懂行答方块5**

我自己没去静修过，但我朋友参加过。就在前几个月，我一个朋友去了潮州一个山里，参加了为期五天的静修，住的条件和招待所一样，非常简陋，每天定时吃三顿"饭"，每顿的内容是九口水，三个红枣，九颗松子。这就是每天全部的进食哦！不带喝下午茶的。其余时间用来跟着师傅打坐，"黑话"叫观望自己的身体。如此反复五天，花一万块。靠，到我家来嘛，收五千块。据他说，五天之后身体特别敏感，思路清晰，可是我看是饿狠了吧。

Q *Dav问律师*

想知道法律对于男性被强奸有没有相关的条文？如今女人越来越彪悍，我们这些弱不禁风的男孩子内心不免有些惶恐。

A **上海星翰律师事务所律师卫星答Dav**

让你失望了，目前还没有。我们国家的法律规定的强奸罪只针对受害人为女性的。目前，如果男性被女性强奸，只能定侮辱罪。犯侮辱罪的，处三年以下有期徒刑、拘役、管制或者剥夺政治权利。但是女性是有可能犯强奸罪的，女性帮助男性强奸女性，就成了共犯了，比如帮忙投药、按住手脚之类。

强奸罪是重罪，比如你侵犯一个女的，也许只是打了她几巴掌，若是定故意伤害，很难判重，但是强奸就重了。如果一个男的强奸另一个男的，总归要搏斗的，搏斗得厉害就定故意伤害，没怎么搏斗，就定侮辱。女的强奸男的，法理上是不承认的，但可以往聚众淫乱上靠，也有可能定非法拘禁或者故意伤害。但从性行为本身来说，不认为是男的受到伤害。男的，被认为是性的主动方，没有保护的意义。所以，我看你还是努力让自己变得强大起来吧。

10

Q *假大夫问大学同学叶苏*

说实话我挺羡慕你，从你告诉我你决定下井挖煤我就开始羡慕你，我觉得这才是最爷们的职业。我还有些佩服你，跟你相比，我卖过的那些命都不算什么。现在我想问问你：1.从一个优秀大学生到一个煤矿工人，你对世界的看法有了什么变化。2.描述一下那个地下世界，说一些我们这些地上的人不可能想到的事。叶苏的联系方式是1**********（为保护隐私，隐去叶苏的电话号码），如果关机说明他在上班，如果一直关机说明井塌了。

A *以下为本书编辑和叶苏的访谈内容*

你的同学假大夫说你大学毕业半年后突然去挖煤了，他想知道为什么，挖煤之后你有什么改变，另外也想让你讲讲你现在的世界。

我从没想过自己会下井挖煤，但是从高考到专科，一直令人失望。高考时，从老师到同学、朋友，都认为我至少是个二本吧，结果去了个破专科（嗯，请允许我用"破"这词来形容专科），专科之后，也是有机会专升本，结果我又悲剧了一次。原本我从2009年初开始，就已经在某企业实习了，但是，家里认为那边离家远，而且是民营企业，虽然那个企业规模也不小，但是家里认为和我们这边的XX集团（就是我现在工作的一个国有企业，以煤矿为主）比，还是有极大差距。我的爷爷是煤矿工人，然后家里许多亲戚都算是在煤矿工作。我算是被强迫着辞退了原来的工作回来参加招工，之后我就开始挖煤了。

所以你算是被父母强迫着当了矿工？

本来读完专科之后的计划是，家里能帮我出一部分钱，自己开一个宠物医院，奈何父母觉得那是拿钱打水漂，还是老实在矿上找个工作是王道。那段时间，和父母吵架就是围绕这个问题。但是父母的态度之坚决，让我没有选择。我不想拿命换钱，而且我不是找不到工作，不是养不活自己。但是父母认为，在外面闯得再好，混得再体面，都是暂时的，除非你端上公务员之类的铁饭碗（父母认为回来挖煤再怎么说也是铁饭碗）。当然，我能力有限，也没有考过公务员，也有段时间不思进取。

你的父母不担心你的安全问题么？

他们到最后甚至说，别人的命都不值钱，就你的命值钱？我听到这句，就彻底没话说了。父母还说，整个XX集团，这么多人都是下井的工人，也没见几个出事，你就偏赶上那个出事的？

所以你父母的想法，是集团里很多家长的普遍想法吧？

对，这一点你说得很对。集团公司的很多父母都是更愿意自己的子女回到矿上，当然，能不下井是最好的。但是，像我们普通的工人家庭，没钱没关系，不下井，还能干什么呢？不像那些高干子弟，找找关系，就坐机关喝茶领高工资。这样的事情不难理解，因为太普遍了，全国各行各业不都是？就算是想下井挖煤，都要经过考试选拔。

你们的收入究竟是怎么算的？

说到这个，我觉得有点被人当猴耍的感觉。反正就是实行挣分制度。上面给你安排工作，基本上每个工作都是固定的分值。当然还得看你完成得如何，如果完成得不好或者没完成，还要扣分。集团下属很多分矿，每个矿的工资不一样，下属每个区队的工资也还都不一样。我的工资其实没有代表性，因为我算新工人，算是特殊群体，什么都少。我们矿的比较少，1000到2000之间，但是别的矿上新工人也有拿3000到5000的。如果一年以后我就不算新工人的话，那时，大概是2000到4000左右（这是我们区队目前的平均情况）。当然，也有时候能拿到七八千，但对于我们区队来说，是非常罕见的。

回到你同学最关心的问题，从大学生到矿工，你觉得自己发生了什么变化？
我觉得，我没有什么变化。最大的变化，就是我下过井了，比他们多感受了一点东西。就是我们常说的，纸上得来终觉浅，绝知此事要躬行。不管你再如何了解，很多事情，不亲身去感受一下，是不会理解的。我也不知道，这经历会带给我什么。但是，我总觉得这样不会长久（当然也可能过上一段时间，我就慢慢麻木了，反而觉得这样很好）。

会不会时间长了，一直正常上班，想法也会和父母一样，觉得未必会轮到自己出事，所以这么稳定工作也不错？

这个想法，我不会有。因为前段时间，我们班就出了一起事故，一个师傅残疾了。怎么说呢，不死人就算小事故吧。当然，只要按章作业，按照安全规程来，一般来说，是不会有问题的。但是凡事都有意外，而且还有天灾。这事怎么能说得清呢？很多时候，事故发生了，要分析起来，因素太多了。平时我们工作的环境和方法其实仔细算起来，隐患多了去了，但是只要不出事，没人去管的。每次下井之前，都要开班前会，会上说得最多的是今天都有什么什么任务，下去以后一定抓紧生产，赶进度，如何如何。末了加一句，注意安全。当然，可能是我个人的感觉，有些偏激。

你曾经考过心理咨询师资格证书，现在还会想去做和心理咨询相关的工作么？

不会。这些时候，我会变阿Q，我会跟自己说，你看你现在多牛逼，多拉风，这狗日的工作你都做得来。之前，我还在准备考研（法律硕士），奈何计划太多，时间太紧，这工作太耗我的时间和精力。我也知道考研的难度，所以竟然慢慢绝望起来，不太抱希望了。之前是一有时间就看书的。或许，这

着给女友

着努力奋

着……于是

境中，止步

虑的事情拖

我又跳不出

来，我安慰自己说， 我就又逃避开

这些问题，等着某个变数。最近大部分时间，除了

跟她联系，就是看书，休息。

给大家推荐一本书，一个电影，一首歌吧。

歌，还是《爱得像蜜糖》。电影，《黑客帝国》动

画版，原因是我经常想起游戏NPC的一句话：混乱才

是永恒的秩序，只有毁灭一切，才能建立真正新的

秩序。书，《忏悔录》。我从大学开始记录分析自

己的梦境，来揣测自己真实的想法和意图，但是我

没有作者那个勇气去面对去改变。我不知道我推荐

的电影和我的推荐理由是不是搭边，但是，脑海里

联系起来的就是这样的感觉。

（以上答案截止日期为2010年9月，2012年8月2日编辑再度和叶苏联系时，他说自己目前的收入大概是5000—9000之间，大部分时间是5000上下，每年有2—4个月份会比较高，最高能过万，少了也会有8000上下。他的工作岗位也换到了一个新成立的创新探究性的区队，这个区队主要是探究煤炭开采之后的最优处理方案。这方面目前国内算是在摸索状态，就是希望能够挖完煤炭，还能让地表不下陷，不造成地质损害。他个人感觉工作内容没有太大变化，无非仍是与那些设备和条件打交道。新项目对他来说不过是一个面子工程，外加领导晋升的一个筹码而已。对于目前的生活，他仍然想逃离。）

11

Q 和科可7 问艾滋病人

给我代问一个艾滋病人，当他知道自己得艾滋时，当时所迸发出的感受是什么，第一时间有想过自杀吗？当医生跟他说他的一生只剩下十个手指能数得清的时间时，他最想在剩下的时光里干些什么？

A 浙江艾滋病人小周答和科可7

我今年29岁，发病时间一年，现在北京治疗。当时的感受就是五雷轰顶，世界末日。脑子是很乱的，整个身体都不会动，只有脑子里飞速地想，这怎么会是真的，怎么会是我，我怎么办。没有想过自杀，根本想不到，只想到，我怎么办，家人怎么办，女朋友怎么交代。我的情况是发现时已经病发，医生说只有两个多月时间，我当时就希望有奇迹，让我突然发财，可以把钱留给我的家人。

等平静之后，我就想好好安排我爱的人。我要尽力对得起他们。

(12)

.

Q **傻强第二问私家侦探**

你们在干活的时候肯定穿着便衣,但你们无奈总是"在做一件事情的时候很不专心地看着另外一个人",会让人怀疑。自从《无间道》傻强说出那个惊天大秘密后,你们在跟踪对象的时候有什么对策?顺便说说你们在跟踪时发生过的有趣的事情吧。还有就是,你们怎么收费的?

A **私家侦探大文答傻强第二**

傻强说的那句话,其实根本不算什么,你监控一个对象,不可能总是盯着人家,用眼角的余光就够了。作为一个侦察员,要眼观六路耳听八方,根据实际情况,随机应变。这是靠每个人的天赋和实际经验累积起来的,而且还要时刻有对情况的预判,要想好各种有可能发生的情况,做出反应。如果只是一味地盯着看,那种连傻强都能觉察出来的人,是非常有危险的,而且看一个人,不是靠脸、衣服什么的去认出对象,而是从他的体态、动作、走路的样子入手,把对象从人群中找出来。如果你盯着看,特别是对视一个人超过六秒,就会让人产生厌恶,被对方察觉,对方就会开始反跟踪,把你引到你所不知的境地。因为，跟踪别人永远是被动的，你不知道对方下一步要做出什么动作，你只能等对方做出了动作，你才能反应。但你可以通过自己的预判，来判断对方、研究对方，这也就是每个跟踪别人的人的不同之处。经验、天赋在这儿显现无疑。当然作为一个侦察员，生活、社会的经验也要丰富。商场、大楼、道路交通，都要熟悉，这个大楼有几个出入口，有多少紧急通道，那个商场进出口在什么地方，地铁线路，公交线路等等，这是平时的观察积累的延续，你一直要不停地观察，并记住。观察是什么？举个很简单的例子：你知道地铁上下车，门响几次关掉？就这么简单，但是你很容易忽略，而对象也在观察，他会在等地铁时，等车门响了四下以后才走入车厢，因为第五下门同时关闭，而你不知道的话就很容易在这简单的动作中，跟丢对方。对象的生活方式、思维方式，侦察员也要去揣摩，去研究。其实在监控的时候，比的就是双方的反应、心态和耐心。当眼神交汇，只要脸上、眼光里，或是一个小动作让人感觉别扭，那你就容易暴露自己。其实很简单，只要周围的群众觉得正常，那就是正常，有时候你越是要去强压自己的紧张，越容易紧张，一旦被对方察觉到一次，那接下来，他就要开始证实你是否是针对他、跟踪他的，通过回头观察、玻璃反光、走回头路、马路转角等很多办法来证实，一旦被证实了，接下来你就完全陷入了被动，所以跟踪也是一件斗智斗勇的事。说简单其实很简单，但越简单的事情越是复杂，你始终充满了新鲜感，牢牢控制着对方，让你安心满足。傻强看懂了一点，心生怀疑，其实螳螂捕蝉黄雀在后，一个好的猎手，更善于伪装自己。收费？这个不好讲，同行了解得也不多，我自己当时一个月基本工资3000块，奖金基本没有的。（答案截至2011年12月）

Q 抠抠问放高利贷的人

你们一般都把钱借给谁？利息是多少？有赖账的怎么办？

A 一位不能透露姓名的先生答抠抠

你是想问理财的事是吧？我们这行其实不新鲜，就是自主经营，就像地主收租一样，也就是地下钱庄，深圳、上海这些地方都有。我们把老百姓的钱周转起来，共同致富。跟我们借钱的人，各行各业都有，借得多的一般是做工程的老板。尤其像前两年，金融危机，银行里贷不出钱，那你叫那些人怎么办？已经投了一百多万的人，难道不继续做下去？政府又不给钱，难道等着倒闭？所以这说起来其实是一种自救的方式。当然，大家都有利润，我们总要点分红。

利息多少主要是看风险。和银行一样，我们也要有抵押，还要有担保人。一些风险大的，我借给你100万，回头你再给我个二三十万。像有的开厂的，就是拿厂子抵押给我们。担保人一般是有实力的人，万一到时候你不还钱我起诉你，我要有人有路子才行。实际上，我们甚至比银行审批还严格。

我们做这行的，靠的是人脉、朋友，大家知根知底。否则我凭什么借钱给你？要是马路上随便一个人借了钱，回头脚底抹油走了，我怎么办？金融危机的时候，一个做汽车的代理商缺三四百万周转，工人要工资啊！他能不付这个钱么？那我就借给他。有一次我们几个人合资一起借了一千多万给一个人，那是个房地产开发商。当然我们肯定是要有好处的。你们（指采访他的本书编辑）当记者的，老板不发钱给你，能行么？你也不会白工作。一些上市公司违规操作，包括银行那些做理财的，都是为了获利的。

当然，风险小的，利润也少，比如借个100万，一个月就还的，那就给我个十万、八万。不过总的来说风险还是很大，你想想，相对于利润，我们是多大的付出啊！你们接触的是大好河山，我们是在钢丝绳上跳舞的人，我们玩的是心跳。

其实我们在这个社会中也属于雷锋。我们最终也是想要双赢、和谐社会。

有时候银行也和我们合作。打个比方，银行要借贷给某个人，就对那个人说："这样，我们这边暂时没钱，你从我朋友那里拿点钱。"大家都知道的。我们赚个十万八万的，也就是买点菜买点油。

我做这行也五六年了，借钱当然要写借条，也碰到过借钱跑掉的。那个人骗了银行的钱，我们这里是小数目，几十万，后来他逃到毛里求斯了，有好几本护照。我们不用找他，银行在找他。找到了就起诉他。那些借钱不还的，我们也扁他，骂他。骂人不犯法吧？总的来说是恩威并施。我们也不是慈善家，这种借钱不还的，一定要绳之以法。他们就是诈骗犯。

有没有别的人利息比我的低？这个游戏是有规则的，不需要说的，行情大家都知道。这就是潜规则，谁破坏了，必然走向失败。哪里都有潜规则。

Q *Mr.LUB问随便一个爱吃肉的人*

吃素的人说，动物会排放二氧化碳，动物越多，二氧化碳越多，所以吃它们很不环保。你会因此放弃肉食么？

A *朋友圈里有名的肉食动物大胖答Mr.LUB*

我是我们那里的拜肉教教主，我看这年头最不环保的就是人本身。要不咱都为了地球的未来早早死翘翘得了，何必浪费氧气制造二氧化碳呢？再说了，众生平等，凭什么你要责怪一头澳洲小牛释放了二氧化碳，却对着同样释放二氧化碳的大熊猫喜笑颜开？

(15)

Q **木尧问好朋友啊吖**

遇到公车色狼后能不能只回敬该狼一句话就让他瞬间羞愧到语塞?

A **啊吖答木尧**

我说,这个色狼除非很文青,否则很难羞愧啊。要不你下次试一下这句:大家都是男人,摸啥?!

你是不是觉得自己很性感,
总以为自己是玛丽莲·梦露?

那又如何?我和她的差距,无非
是13次堕胎,以及1个脚趾。

times
13

16

Q **傻呵呵呵问淘宝工作人员**

自淘宝开张以来，在淘宝上花钱最多的人是谁？能
否介绍下他/她的情况？

A **淘宝公众与客户沟通部答傻呵呵呵**

截至2012年10月17日，在淘宝上消费最多的用户共花
了人民币49994998.5元，平均下来TA每天要花29991
元用来淘宝（从开户至今）。单笔消费金额最高为
56800，买的是单反相机。感谢TA为拉动内需和促进
电子商务发展做出的积极贡献。关于这位用户的具
体情况，属于保密资料，我们只能表示，消费能力
这么强，TA应该毫无经济压力，绝对是个让很多喊
着"再购物就剁手"的淘友羡慕的人。

Q **假面博物馆问知情人**

我猜下面这个问题我肯定不是第一个人问了。我的问题是，国家领导人日常生活中是什么样子？前不久看《非诚勿扰》，一个女嘉宾说她觉得最骄傲自豪的事，就是在机场接待领导人，说因为工作原因可以见到许多领导人，觉得他们都很亲切。哎，你说我们这些平头百姓能见下领导人多不容易啊！据说上海兰溪路那里住了好多名人，有人见过么？能给我讲讲么？这不算敏感问题吧？

A **知情人答假面博物馆**

敏感不敏感，这要看你怎么界定了。我不好说。我知道的是，在上海曹杨路地区曾经住了一些名人，比如运动员啊，国家领导人啊，等等。我妈曾经还在菜场遇到过某领导人的夫人。这位夫人本人非常简朴，看起来没有什么架子，我妈说后来在电视上看到她，还觉得有点穿越。那个时候买肉都是要起早排队的，有一次，她还在菜场遇到这位夫人搬石头占位买肉呢！

(18)

Q **不凡问苏紫紫**

你不是举行了以"梦想被绑架的年代"为主题的人体艺术展，邀请公众在你的身体上写字么？这个创意很酷啊。想知道：1.人们写字的时候，你觉得痒么？会不会，做这件事最难的，不在于媒体说的"离经叛道"之类的，而是在于要忍住生理上的不舒服？2.到目前为止，你最讨厌，或者说最介意别人怎么评论你？3.你最想看谁的裸体？

A **苏紫紫答不凡**

1.呵呵，其实，作品的创作过程当中，不是所有人在我的身上写字，而是在网上截取了很多我愿意看到的和不愿意看到的评论，然后请一个人去写，我想表达的是，我只是一面镜子，大家只是在我身上看到自己而已。2.我最介意的是别人说的身世造假。那天早上，奶奶刚刚过世，我还在病床上，阑尾切除手术以后，还不能下床，一些事情我很难过，不想提起。刚开始在媒体上说家里以前的遭遇就是想讨个公道，讨个说法，但是我没有想到有的人会用他们的价值观来曲解这一切，所以之后就没有提过了。3.我奶奶和我妈妈，那是生命的流动感。

19

Q **跟屁虫问一个公交车售票员**

小时候坐公车，最崇拜的就是售票员了。一下子拥上来那么多人，怎么知道谁买过票谁没买过？难道售票员都练就了过目不忘的本领？

A **当了四年售票员的张毛毛答跟屁虫**

有一次一个朋友推荐我看 *Lie to Me*，我一看，嗨，不就和我平常的工作差不多么。我们这行，也是靠观察人过日子。基本上，只要人不是非常非常多，不可能有漏网之鱼。那种一上车就往后面跑得特别快的，一定有问题，这种情况我一般是记下衣服的颜色——丫跑那么快，一闪而过，面部真是难以捉摸啊。当我走过去卖票，那种气定神闲完全不看我的，一定没问题，想要逃票的，眼神一定(我是说"一定"！)会不经意地瞟到我这里，我们的目光一定会相接——又不是职业罪犯，想假装镇定根本不行。这种情况，一抓一个准。老实说，最容易逃票的，不是学生、年轻人，而是五六十岁的人，这当中，女人又比男人多，农村人比城里人多(我真不是歧视农村人)。

20

Q **暴风霜问随便一个人**

听说现在比较富裕的地方会有那种实行军事化管理的私立学校,管理严格、超级变态,你们有谁上过这种学校么?

A **曾经的私立中学生IP答暴风霜**

我中学是在浙江的　所这种学校读的,共四年,虽然没有站着进去横着出来这么严重,但经过标准化流水线的严格管理,如今我还能以活泼开朗在朋友圈里著称,简直是个奇迹。

当时我们那里有很多企业办的私立学校,比如我读的那个,企业原来是生产铜管的,于是,学生们就被当成铜管来对待,管理之严格、规范,绝对能申请ISO90000什么的。学生就是产品,实行全封闭管理,家长们还对此纷纷表示热烈欢迎,因为管得严,还能考上大学,他们太省心了,只管出钱。那个时候我们宿舍的抽屉都是没有锁的——方便老师抽查。如果被翻到有不该带的东西,会被罚站一小时到两小时不等,情节严重的要去食堂蛙跳,一边跳一边说:"我是害虫,我是害虫。"要是中途笑场,肯定挨踢。

你为什么看起来那么寂寞？

因为寂寞让人看起来深邃，惹人疼爱。寂寞是"装逼"所穿的另一件外衣而已。

21

Q **孩子气的猫问随便一个人**

为什么中国近现代史上一些知名人物的后代的名字都是ABB式？比如万宝宝（万里的孙女），李禾禾（李肇星之子），林豆豆（林彪的女儿），罗点点（罗瑞卿的女儿），柯六六（柯庆施的女儿），陈珊珊（陈毅的女儿），李特特（李富春的女儿），王京京（王震的孙女，父亲是中信集团原董事长王军），刘平平、刘亭亭、刘潇潇（刘少奇的女儿），任远远（任弼时的儿子）。他们的父母为什么会如此一致地热衷这种取名方式？

A **本书编辑答孩子气的猫**

你猜喔。

(22)

Q **小可爱问时尚杂志编辑**
女明星为什么爱上《男人装》？是不是穿得越少她
们越开心？

A **《男人装》人物总监汪洋答小可爱**
普鲁斯特形容波德莱尔的时候有句话："分别将特
有的形式赋予各种不同类型的人，每一种形式都
充溢着热量、湿度、气味，就像袋囊里装着的酒或
火腿一样……"这正是这本杂志在做一个女艺人选
题的时候考虑的事情。女艺人，多为"半包围"结
构。就像北野武在浅草的艺人师傅那样，无论生活
多窘迫，出去请客还是要点最上等的寿司，穿着永
远干净光鲜，发鬓齐整。这是艺人的风骨。出席金
碧辉煌的典礼总是要租一套名牌礼服，身旁簇拥着
助理和助理的助理。譬如讲出一句话如苍井空，两
个翻译互相翻译后，到我的耳朵里已经变成了一句
不痛不痒的话。这是多数的艺人。
但是，不是说作为时尚类媒体就坐以待毙等着姑娘
们说漏嘴了赏我们几句。我会试图在见面之初就穿
刺这层壁垒："来，摸摸手。""你的左胸是真的
吗？""跟我学一段绕口令"这样的话偶尔也会

脱口——这个穿刺的出口，就是半包围结构所没有完全包裹的部分。杂志会在这个出口处寻找本真和"原她"。譬如我们知道中国有位著名女星睡觉的时候习惯给自己垒城堡：两边都是被子，头顶顶着毛巾，她安详地躺在中间才能获得安全感。要是我们来干，拍片的时候我先弄一顶钢盔扣她脑袋上（直观视觉逻辑不一定全部低劣，聪明读者花钱肯定不是为了买做作的结果）。但这一点在中国艺人身上较难引起共鸣。

想往前迈步，又怕步子大了扯蛋，是艺人们的心里话。于是，这本以性感为主介质来表达的杂志，在言说前除了抽离对象本质，从她们自身出发寻找性感之外，电影化的大片形式、两性思辨、视觉概念等方式也会不断融入进来，对直白的性感（出版审查和女艺人本身最在乎）进行打磨，给艺人和杂志在中国特色中共同前进系上安全带。

最后要啰唆的是，性感和变老一样，都是女人必经阶段，就像步入中年的苏菲·玛索，她不让修图师去掉鱼尾纹和水桶腰一样，女人在每个阶段就该有每个阶段的样子，回避也只是一时。最后，回到问题，倒也不是谁爱"上"谁，是谁需要啥和谁需要谁。

23

Q **肖悄悄问武术指导**

为什么电影里那些身材壮硕的肌肉男到了最后发绝招的时刻，往往是选择绷烂衣服？每次使力，把衣服绷烂的时候，为什么裤子却完好无损呢？这个招式是某种气功吗，很无敌很厉害？因为气从胸口往上蹿，所以不会绷烂裤子？

A **武术指导高翔答肖悄悄**

一般这种是硬气功，它的发功原理就是运丹田之气，从下往上走。电影里一般都会有特效，不过如果穿着紧身衣，确实是可以单靠发功就能把衣服给绷开。我个人比较擅长菲律宾武术，耍短的弯刀、小双刀，这两年刚刚开始流行起来，以前拍戏很少用。这是我在国外学到的，现在国内武术太老套了，如今拍武打戏讲究实战，要快、准。我们这些武术指导天天都要想新的花样，每场戏都要有新花样。我曾经给甄子丹、张艺谋的片子当过武术指导，最近正在拍《画壁》。你看香港的功夫片老套了吧，所以骗不了观众了。拍戏肯定是个苦差事，风吹日晒的，国内没有美国条件好，人家有专门的影棚给武术指导训练用，我们都是提前去拍摄场地现场看、练。现在的演员也都很拼，你看杨紫琼，年纪那么大，还自己吊威亚。

我是上海体育学院毕业的，后来朋友介绍入了这行。刚开始年轻，觉得好玩儿，成天在片场，还能看到明星，后来新鲜劲儿一过，就不知道要做什么。武术指导一般都是从替身慢慢做起，然后是武术指导，然后是动作导演。我最终当然是想当个动作导演。如今我入行12年了，今年刚结婚，我老婆也是这行的，是个替身，不过现在不做了。武术指导谈恋爱也不容易，我是上海人，本来也想找个上海本地小姑娘，可是你成天不在家里，上海小姑娘又挑剔，你去片场几个月，下次回到上海，小姑娘早就跑了。所以我后来找了个同行，能够理解我的工作。

(24)

Q **思无邪问老人（越老越好，但不能老糊涂）**

人生是什么？我不会问年轻人，因为他们根本就不懂！他们还经常假惺惺地不懂装懂。

A **骏骏（年过半百，号称百岁老人）答思无邪**

你问我这个问题算是找对人了。人生，在我看来非常简单：活着。对，我琢磨了一辈子就是这两个字。可以再加一个形容词修饰一下：平淡地活着。我平生最大的梦想就是开一家小书店自得其乐。

梦想实现之前，我现在就过着"上班上网上床"的简单生活。看看那些满世界飞来飞去的跨国公司老板，一不小心就要破产，整天提心吊胆的不见得比杂货店老板更加快乐。当然人各有志，我那些有出息的朋友对我平淡无奇的活法向来是不屑一顾的。

小时候读到过的一个故事始终铭记在心。一富翁见到一穷人在钓鱼，就问他为什么不去买一张大网可以捕到许多鱼。穷人反问要那么多鱼干吗，富翁提示他卖掉鱼赚了钱可以买一条船。船有什么用？有了船可以捕到更多的鱼赚更多的钱。然后呢？富翁说你就可以像我一样有钱，可以坐在这里悠闲地钓钓鱼。穷人不以为然地说我不是已经很悠闲地在钓鱼了吗？人往往总是追求撒大网钓大鱼，而忘记了垂钓的乐趣。

其实我年轻的时候也貌似很哲学地思考过人生。一度以为真正看破红尘的人一定会去自杀。既然都已彻底明白，再和凡夫俗子共度尘世有什么意思呢？痴长几岁又认定真正看破红尘的人一定不会去自杀，死活都是天意。两种想法好像都有道理。好多年轻人喜欢来来回回折腾，想走出围城的人最终还是回到城内。人生永远无法突围。好死不如赖活，老话没错的。别奢望用自己有限的人生就能轻易推翻前人的结论。

如果你觉得我的答案还是太简单，那么不妨再增加几个字。我有一个开智商鉴定所的朋友，他说人生的有效寿命等于你自己可以自由支配的时间。算是为我的"活着"添加了一个注脚。扣除你迫于生计为老板为子女为银行为房产商打工的时间，剩下的才是你的有效人生。与其虚求长生不老之道，不如想方设法切实延长自己的有效人生。人生真的就是这么简单，无非一日三餐一觉睡到天亮。平平淡淡地活着，干一些自己想干的事。仅此而已。

(25)

Q **米屎令问飞行员**

飞机在空中飞行的时候飞行员都在做什么？是不是有自动飞行模式？电影里面总是演空姐给机舱的机长和副驾驶送咖啡什么的，他们在长距离飞行的时候能听听音乐，聊聊天，做做广播体操拍拍云朵么？还有，据说机舱辐射很大，所以飞行员都有早秃迹象？

A **飞行员Mr. J答米屎令**

现代飞机给人的印象基本就是自动化高于人工干预。一般来说，起飞、着陆是人工飞行的关键阶段。在巡航阶段一般是自动驾驶在操纵飞机，但是自动驾驶也得人工控制。比如说你有个很给力的锅，可以各种煎、炸、炖、烤，但是我们饿的时候大喊一声"水煮肉片"是无济于事的。所以我们要买菜、洗菜、切菜、配菜，再放进锅里翻炒，切记少放盐，这时花椒少许，生抽少许（欢迎收看好妈妈厨房节目）……略跑题。我的意思是我们是没有任何时间可以闲下来的。没时间听歌，没时间睡觉，没时间跟空姐聊天，没时间做瑜伽，没时间打牌……所有精力都用来监控飞行状态和与地面管制联系。

由于长时间的飞行会让飞行员觉得乏味无趣，在休息不好的时候注意力也会下降，所以电影中空姐给飞行员送咖啡和餐点的画面还是可以有的，需要查阅相关系统知识的时候也有各种资料在飞机上供我们查找。在天空的日子的好处之一是基本每天都能看见阳光，有时天上的云彩也很美丽，夜航时候漫天繁星要比在地面看到的多好几倍，也算是个有情调的工作氛围。但电影里跟美丽的空乘人员调情的事件是永远不会发生的，真要喜欢，下飞机说！

关于辐射的问题确实是航空人员很郁闷的话题。每天有大气辐射、高空辐射还有各种机载仪表设备的电子辐射各种骚扰我们的身体。所以这也是飞行人员相对高薪的原因之一。至于脱发这件事，我暗地观察了一下，都还多少有点，本来头发就少再自己有点担心加上工作压力，那……你们懂的！但这不是绝对，大多数资历很老的机长教员还都一头秀发，年轻的飞行员们也都是精神的短发，个别帅哥飞行员没事还是各种发泥、发蜡、干胶、蓬蓬粉……各种抓、吹、烫、电，各种偶像剧造型。所以辐射，有，但是不至于一飞即秃。

26

Q **橙子绿了问闺蜜温柔的北极熊**

前一阵子天涯上有个热帖《寂寞军婚如此妖娆》，看得我对嫁给军人很神往啊。而且我爸以前就当过兵。我也老大不小了，你说我找个兵哥哥怎么样？

A **温柔的北极熊答橙子绿了**

我也非常敬佩伟大的人民解放军，兵哥哥看起来多威武啊，好多都很帅，眼神坚定，个性坚毅，比现在那些看起来阴阳怪气的花样美男要靠谱多了。

不过，作为你的好朋友，我还是有必要提醒你，和军人结婚，轻易别想离，只要对方不同意，你就没辙。你要是在外面搞了婚外情，你的那一位"小三"是会以"破坏军婚罪"被判刑的哦。

我不要被他们看见 ／ 李承鹏

小时候看过一部日本电影——《砂器》，讲战后一对流浪汉父子的。他们在雨地里赶路，在崎岖的山路上跋涉，在大雪飘飞的农舍前乞讨，当儿子被富家子弟殴打时，父亲拼命用身体挡住拳头和棍棒而后滚落到路边的水沟。有一个镜头：大雪天里父亲讨来一碗粥，在砂锅里煮热让儿子喝，儿子又让他先喝，他去尝试温度，结果嘴烫起大泡原地乱跳，两人却哈哈大笑……这个其实温暖的镜头却让我哭了，现在也不知为何。

后来父亲得了麻风病，儿子被养父收留，又逃跑。后机缘巧合学了钢琴，成为东京一名崭露头角的艺术家。这时养父无意间发现了他，让他去见亲生父亲。正在跟大金融家女儿谈婚论嫁的他为了掩盖出身，在车站把养父杀死了。后来侦破的过程很复杂，最后的情景是，警视厅探员把钢琴家的照片递到得麻风病的亲生父亲面前时，父亲为保全儿子，拒绝承认这是他儿子，但看着照片，老泪纵横……

这个被评为日本人性侦破系列电影最经典画面的镜头，我倒没哭，当时我还不明白父亲不承认这是他儿子的原因。等我明白时，已为人父。

我已明白，父亲便是世上最不堪的那个斗士。

你要问我当上父亲最主要的体会，就是这个回答。其实我们的父亲没有一师那么神武，也没有《至高无上》那般不怒自威，也没好莱坞父亲那样挺拔高大，他们中的大多数为生活所困，面色无光，有些不大不小的疾病。其中一些连感情也并不如意，很年轻就苍孙甚至显出一些猥琐来。可他们爱孩子，不落下任何一场战斗。

我家小区有个常客，姓周。到现在也不知他叫什么，只叫他周大爷。他是小区里捡垃圾的。不是你们想象中那种很邋遢的垃圾大爷，为了不引起别人反感，他总是衣着干净，见人很礼貌地打招呼并熟知大多数人的尊称，那辆板车精心地从不掉下任何垃圾，即使收垃圾也不会乱翻一气，很仔细地把他需要的纸板盒、废旧电池归类，把不要的垃圾放到回收袋以便正规垃圾车处理。保安也不赶他，后来我才知道他儿子是另一小区的保安。我曾经觉得他儿子很不孝，后来才知其实他儿子极力反对他这么干，曾经把他锁在屋里不让出来。可是每回他都会偷偷跑来捡垃圾，骗儿子说在家政公司找了差事。

他偶尔会到我家来收一些纸盒，我妈会留他吃饭，每回他都虔诚地向我家供的观音作揖。我跟他交谈过一次，他说，知道这样丢人，但要为儿子在城里买房子，再捡半年，差不多首付就有了。

中国的父亲跟全世界的父亲有些不同，由于众所周知以及众所不周知的原因，他们是要牺牲尊严来养活家庭的。周大爷幸运。另外的比如违章小贩夏俊峰，当一个父亲只是为让儿子学画，上街摆摊，最终竟至杀人，可想见当他挥刀而向两个身形巨大的城管蚍蜉撼树时，内心该多悲凉。

你问我父亲，他是个神经质的音乐指挥，形象和性格都有些像《虎口脱险》里的那个。军人出身，暴躁。我很小的时候，他便逼我练琴，我若不从或反复弹错，他便要打。可是我从小身形敏捷，闪躲灵活，多少次跟他上演汤姆和小吉瑞的场景。有次我钻到床下面去（新疆兵团那种床，下面可藏半个班），他跟着钻进来，我在里面用扫帚对抗，引发了床板的坍塌，他鼻梁都砸出血了……还有次，学校发冻肉，可是冻过分了，菜刀根本切不开，我俩在院子里用开山斧使劲砍，我砍时大叫"砍死爸爸"，他听后，就哭了。这是他唯一一次在我面前哭。

我现在也没问过他为什么哭，不必问了。

后来他跟我母亲离异，我随母亲回四川，由于母亲的坚持、法院的判决，父子之间被迫聚少离多。后来知道他有些落魄，再婚也不幸福，小女儿也有些状况……我三十那年有过一次很隆重的见面，我给他买了很多衣服，他很开心，就是大家都明白的那种老孩子似的开心。我注意到，他把西服的扣子一口气扣到了最下摆，浑然不觉。

下个月我会按计划跟他好好待上一段时间，开车带他在黄河边上走一走。小时候他带我走，现在我带他走，以后我儿子带我走。我爸是如此不堪的一个斗士，他想把我培养成一个音乐大师，而我成了码字师傅。他想把我儿子培养成一个音乐大师，可我决定把珂仔培养成一个网球大师。他很神伤，觉得此生理想栽在两代人上了。那次临走前，他大声喊着，看，珂仔的手指这么长，这么长，可惜了。

在中国，每个父亲在子女眼里，都是不堪的。父亲却是我们内心一块假装文身的伤疤，我们爱他。所以你问我跟父亲有什么不同，最大的不同就是，他想让我成为什么，我一定不成为什么。想必很多人跟我是一样的。也不知为何。

剩下的就是相同的。

无法摆脱这些相同或者不同。

我们都知道，倘若孩子们发现我们的不堪，才是我们最大的不堪。我小心翼翼隐藏住自己不堪的奋斗，努力挣钱，每天把胡须刮得干干净净，穿着整洁的衣服，让他觉得父亲其实潇洒和浪漫，不甘人后，不输于人，成竹在胸。

我不要珂仔看出我的不堪。

> Q⁸ 延伸阅读

静修和逃亡 ／ 周雅婷

打坐，每天十小时以上；吃饭，全素食，过午不食，一天两顿；睡觉，除了上面两件事，只有睡觉了，按规定不能在院子里剧烈运动或者有任何可能引起别人注意的活动。

这样的静修，我完成了三天。

一去就上交手机、电脑、书籍、纸笔、外带食物、药品和一切可能扰乱心绪的东西给义工保存。课程期间完全禁语，不和其他学员有任何眼神、身体上的接触。这样的规矩我也未能遵守，每天下午6点后的15分钟，我都趴在自己的被子里，疯狂地写字。

逃亡，第一天我的第一个想法就是逃亡！

拖着酸痛的双腿，爬上宿舍顶层。我看着在小院子里的学员，感觉这里像极了监狱或者精神病院。有人在院子里对着植物发呆，有人在围着院子打转，谁也不看谁，仿佛彼此都不存在。

我坐在那里思想无法专注，开始各种幻想。一整天没有看书和接收到任何新鲜资讯，孤独感和焦虑感左右夹击，我感觉自己快烧着了。牙龈整个肿起来，我像是病了，昏昏沉沉，我想可能是之前沉淀体内的毒素作祟。

第二天，经过前一晚的开示（老师宣讲禅修哲理）后，我正常了些，想：留下来吧，别逃了。但是白天过去，意念又有些崩溃。我太想念北京，想念有书读、有电影看、有事可干的花花世界。一天就是坐着和躺着没有别的运动，每块骨骼和连着的筋肉都无比酸痛。我感觉自己的整个体循环都在减慢。头痛，是无所事事的那种痛。

打坐时候依旧走神，无法集中，后腰是全身疼痛最厉害的部位。

这里还是像个监狱。我想：出去了千万不能犯罪啊，犯罪千万不能被抓坐牢啊，被抓那就犯点死罪吧！

第三天比前两天好太多了，我开始平静下来，接受这里。开始能注意到一些焦虑状态下没心情看的东西。

当天夜里10点，依旧绵绵细雨。藏经阁大殿后，我光着脚，穿着睡衣想要感受春雨，就向殿外伸出右手。之后的记忆是"咻……咚"，我仰面扑倒。脸在右手后着地。瞬间我感受到宇宙：周围死一样的寂静，眼前几颗闪光的星星转动。我本能地在潮湿地面上翻转身体，雨水落在脸上，混合我的鼻涕眼泪，"救命"，我在心里默念。

"你胳膊还有知觉吗？"终于来了一个学医的

男法工。我哭着摇头。他顺着我的肩膀拉两下，我哇哇大叫。"脱臼。你们把她按住。"之后"嘭"一声，脱臼的胳膊复位，而我感觉刚才的星星们又回来了，它们浸泡在我的眼泪里打转。我右手吊了一块丝绸围巾半坐半躺在黑暗里，想着回去要给灾区再捐些钱。我终于明白忍受身体的疼痛在黑暗中等待的可怕。

胳膊复位以后，我没有被送医院。因为交通不便，也因为法工们劝解说让我用观吸法呼吸让意志超越肉体。于是我被送回屋里观吸。离开前他们留给了我一包纸巾，一个手电筒。

理智和疼痛在黑暗中伴随着呼噜声在我脑子里争吵了四个多小时。早上四点半，起床铃声响。我的同屋们开始穿衣洗漱，她们依旧不看我一眼，我愕然地坐在床上不知所措。一方面暗暗庆幸等待终于结束，天亮了！另一方面，又不知如何是好，法工们是在6：30起床，他们不起床我无法离开就医，也不能取回被他们拿走看管的手机。

早上，4：50我结束茫然做了决定：跟随同学去禅堂打坐。我拖着肿大的手臂坚持打坐的原因不是我有多么坚强的意志，而是因为简单的私心：1.我不想一个人在宿舍躺着胡思乱想，那里很冷。2.如果我在禅堂，一会儿能有早饭吃。

6：30我终于在早饭时见到了起床的法工。我几乎是用哀求的语气说："能不能把手机给我打个电话，我要去看病！"她严肃地示意我禁语。之后给我一个纸条：饭后来我办公室。

办公室里，法工终于有了少许的人情味，她说："我们也是流动的义工，对于很多事情我不知道如何处理。你要看病就去吧。但是出去就不能回来了。"我说："好。"其实内心还是挣扎，感觉离开显得非常脆弱，而且采访也不能完成。

一个法工帮我取手机的时候，另一个凑近我说："我们这里确实常有奇怪的事情发生，有人来了就坐立不安，有人开始发炎，这可能是排毒。但是也有人说，这是消孽。或者是前生或者是今生的孽。"知道能离开后，我一点对话的力气也没有。我只想消痛，消肿。

走出寺院大门的一刻，我开始号啕大哭，我仿佛受了天大的委屈，所有内心的挣扎都结束了。寺院里扫地的尼姑披着呢毯子，看我一眼，然后回头继续扫落叶。

p 64 - p 113

本章节问答更倾向于   例句："你是哪个单位的？"

采写：南方都市报王星 等

Chapter 2

谁最爱国?

我们的胃最爱国,
出国半个月不吃中餐就能体会到。

27

Q **不靠谱青年问随便一个人**

老听人说北京司局级干部特别多，在地方上是个市长威风八面，在北京一个司长不算啥，我想知道北京到底有多少司局级干部啊？

A **本书编辑答不靠谱青年**

我们也想知道，但官方从未公布过在京司局级干部的数量。我们首先拨打了中编办（中央机构编制委员会办公室010-52818315）的电话，被告知厅局级干部是归中组部管，他们不掌握这个数据。而后拨打了中组部（010-58586789）的电话，负责政策咨询的同志耐心接听和解释，但表示这个数据不能随便公开。"如果你在媒体等正规渠道看到了干部数量等数据，那就是公开的；如果没看到，那就是不公开的。"我又问那是否可以通过传真、信件等方式申请政府信息公开，被告知不可以："这些不属于政府信息公开的内容。"

不过中组部去年6月曾下发通知，计划到2012年上半年，把全国4万余名司局级干部全部培训一遍，顺便公布了全国干部情况：科级干部有90多万人，处级干部60多万人，司局级干部4万多人。算起来，一个处级干部管着1.5个科级干部，而一个司局级干部却管着15个处级干部，可见司局级在我国还是很重要的位置。

具体到在京的司局级干部数量，我们无从知晓，但卫生部直属的三级甲等医院北京医院网站上，对自己是这么描述的："中央干部保健基地，以高干医疗保健为中心、老年医学研究为重点——长期承担着中央领导干部的医疗保健任务及15000名司局级以上干部医疗保健任务和80余万参保人员的医疗保险工作。"也就是说，北京医院服务15000名司局级以上干部。

一位在北京医院司局长门诊工作的护士说——你没看错，就是司局长门诊——这1.5万人里包括很多离退休老干部，至于在职的司局以上的干部有多少，她也不知道。编辑以即将调职到北京某部委的地方官员的秘书的身份，打电话给北京医院（010-65282171）咨询，对方表示不是所有司局级干部都在北京医院："司局级干部不都有蓝卡，你看那个卡上盖的章，可能是北京医院，可能是别的医院，有我们医院的章才在我们这儿。"

而北京市的首都医科大学附属北京友谊医院在自我介

绍中则写到医院"承担着8000多名司局级以上干部的
医疗保健任务"。这其中是否与北京医院的服务对
象有重合部分也不得而知。编辑又以即将调职到北京
市工作的地方官员的秘书的身份,打电话给友谊医院
(010-63016616)咨询,接电话的大夫说那可不一定
就在友谊医院:"石油的、文化部的定点医院都不一
样,你还是要问问你们领导的单位或者卫生局。"

另外,据中央党校网站透露,4月9日,2011年中央
和国家机关司局级干部选学必修课程开班式举行,
"来自中纪委等101家中央国家机关的4000多名司局
级干部将参加学习"。而据《人民日报》报道,2010
年,"中央组织部会同中央直属机关工委和中央国
家机关工委,组织15家单位的2100多位司局级干部开
展了选学试点"。

也就是说,不算北京市的司局级干部,单是中央的
至少有4000多名。至于为什么15家单位会有2100多
位司局级干部,那就不知道了。

顺便说句,在国家部委里面,司局长最多的是发改
委,有143名。(答案截止日期为2011年12月)

> p 107

28

Q **黎明前问一个懂法律的人**

我想知道，咱们平常用翻墙软件什么的上外网，算
违法么？

A **律师卫新答黎明前**

不算。我查阅了目前我国关于互联网的法律法规，
包括《中华人民共和国计算机信息系统安全保护条
例》《中华人民共和国计算机信息网络国际联网管
理暂行规定》《计算机信息系统国际联网保密管理
规定》等，实际上目前我国法律并没有关于禁止使
用翻墙软件或者代理服务器上网的规定，对互联网
的屏蔽管理只是一种自己的管理方式，是通过技术
手段排除了你的一些选择，但是你通过技术手段浏
览被屏蔽的网站并不是违法的事，除非你利用这个
手段传播反动、色情、暴力的资讯，盗用他人账户
侵犯他人隐私，或者是营利。

单纯地浏览并不违法。但是这些提供技术手段的企
业以及一些未经登记的软件可能会面临问题。

29

Q 薛定谔的毛问知情者

今年是"非典"十周年，"非典"时据说一些人治好后肺纤维化了，是不是真的？现在怎么样？

A 拍摄"非典"后遗症病患的摄影师张立洁答薛定谔的毛

"非典"后遗症不是新话题了，简单搜索一下就可以知道：2003年"非典"肆虐中国，尤其在"非典"呈大爆发态势的北京，为抢救生命，激素类药物曾被大量用于紧急治疗，而其副作用导致部分患者股骨头坏死。此外，还有肺纤维化、脏器损伤等后遗症。据我了解，北京目前登记在册的骨坏死患者接近300人（包括因公感染的医护人员140多人），根据病情轻重，其中约有一半的人能得到免费治疗（特指以股骨头坏死和肺纤维化为代表的后遗症）。这150多名被列入免费治疗名单的后遗症患者还能拿到每年4000～8000元不等的生活补助，但对于他们致残后被完全改写的生活而言，很多人仍感到很艰难，比如有的家庭一下死了四口人，老婆、老公、父母没了，有的必须要更换只有十几年寿命的人工关节，有的当了妈妈不能负重，连给孩子喂奶都需要别人帮助……这些是怎么也改变不了的事实。

Q *GF2.0问中国红十字会*

人家都叫你们红柿子会、红十字夜总会，你们啥感受？

A *中国红十字会秘书长王汝鹏答GF2.0*

作为红十字人，对此我感到很痛心，也说明我们的工作离大家的期待还有距离。慈善事业只有拥抱阳光才能播洒阳光，我们真诚欢迎社会公众对我们进行监督并提出批评和建议。请给我们时间，我们将用行动修复受损的形象；请给我们机会，我们有决心进一步把工作做好，用实际行动重新赢得包括你在内的广大社会公众的信任和支持！

(31)

Q **奔放哥问周正龙**

你最近干啥呢？拍到华南虎没？

A **华商报记者雷佳答奔放哥**

周正龙还在安康监狱服刑，不能回答你的问题，我帮他答吧。2008年11月他被判有期徒刑两年六个月，缓期三年执行，但2010年4月30日被收监。

今年4月21日，陕西富平监狱邀请媒体朋友去参观，我见到了他。周正龙正蹲在监室的一个角落里，起初没什么，直到发现我带着相机，他就径直走出监室了。我走出去找他，找了一圈都没看见，直到走出那栋楼，才看见他原来躲在一个角落里——应该是服刑人员放风的地方。为了不惊扰他，我跑到二楼，从窗户上将镜头伸出去，拍了几张照片，就被狱警喊走了。他没有接受记者采访，也一直在躲避我的镜头，他会时常回头查看，十分警觉。他的狱友管他叫"周总"，带有嘲讽和戏谑的成分。狱警说他在狱中表现良好，但从不提及虎照的事。他在监狱里本来是做"珠绣"——一种针线活，但因为57岁的他眼神不好，后来狱警安排他打扫卫生。再有不到一年他就要出狱了。（答案截至2010年6月）

Q **恨嫁人问南方人才市场**

我和男友的档案、户籍都托管在南方人才市场，如果我们要结婚，需要什么手续？

A **南方人才市场客服（020-85586998）答恨嫁人**

必须把户口迁出去才能够办理结婚。你可以找亲戚朋友落户，或者落户到老家父母的户口上。把户籍交与南方人才市场托管只是权宜之计，你不能在集体户口内结婚。但是档案可以仍然保留在这里托管。

Q 贾樟柯问知情人
各地洒水车的音乐都是《十五的月亮》么？放什么
歌是由谁决定的？

A **洒水车厂家湖北程力专用汽车有限公司答**
我们的洒水车不放《十五的月亮》，有《兰花草》
等几首，一般客户不对这个做要求。这是有道理
的，因为要让市民一听到音乐就知道是洒水车过来
了，好躲避，以免被水泼到。具体为什么是这几首
我们也不知道，因为我们洒水车的喇叭是外面定制
的，里面的歌本来就是装好的。

洒水车喇叭厂家湖北合力专用汽车制造有限公司答
我们的喇叭就两种，一种是《兰花草》，一种是
《祝你生日快乐》，一般客户都不问这个，只要达
到国标就行了，国家规定分贝最高不能超过95，音
乐只能是纯音乐不能是有人唱歌，这个符合就行
了。一个喇叭才180块，也不可能太多变化。

北京市政市容管理委员会环卫处工作人员雷小姐答
北京没有统一要求，一般不放音乐。为了不影响行

人，洒水车夜间作业，而且是喷雾降尘，不像其他
城市那样直接洒水。

本书编辑答

南京常听到《十五的月亮》，上海2000年前是《十五
的月亮》，在洒水车的版图上，《十五的月亮》还
不是最常见的，《兰花草》《祝你生日快乐》这两
首歌的城市占有率更高。洒水车的音乐相对固定，
决定权以前在厂家，一般没人提要求，所以大部分
洒水车厂家的音乐都还是二十几年前的流行歌曲。
很多城市是不同时间或者从不同厂家买的洒水车，
放的音乐也就不一样。郑州人听烦了《世上只有妈
妈好》，长沙人听烦了《东方红》，而西安人听烦
了"鞋儿破，帽儿破，身上的袈裟破"。现在决定
权在各地环卫部门，因为市民投诉多，对于厂家来
说，只要客户提要求并给钱，没啥办不到的。去年
济南投票选洒水车音乐，最后选了《铃儿响叮当》
等四首，一个季度一首。今年武汉给洒水车准备了
《东方红》等十几首红歌，同时还有《春天里》，
在路过打工者较多的地方就放年轻人喜欢的《春天
里》，别的地方就看情况放红歌。

50%
Democracy

民主是什么?

*E.B.*怀特说，民主是始终怀疑
一半以上的人在一半以上的时
间都是对的。

(34)

Q **万捷不复问全国人大、政协**

两会代表委员住单人间还是标准间？两会花了多少钱？

A **某知情记者答万捷不复**

有住单人间的，有住标准间的，但不管单人间还是标准间，都是住一个人。当然，有部分代表委员是不住指定宾馆的，他们或者家在北京，或者在北京有住房，或者需要住更高级的酒店。

两会花多少钱的问题，全国人大从未被公开问到，2011年3月2日，全国政协十一届四次会议发布会上，美国之音记者问到了这个问题，发言人赵启正说不知道，答应过几天回复记者。3月7日，那位记者收到了全国政协办公厅的手机短信，说2010年政协全体会议的费用是5900万。这是两会费用数据首次公开。

记者分别致电全国人大和全国政协办公厅，询问2011年两会的花费，政协的同志回复：请看全国政协网。原来，4月26日全国政协办公厅已经在网站上悄然公布了2011年收支预算，其中明确标明：政协全国委员会全体会议支出预算6400万元。按今年实际到会人数2182人来算，人均29330元。不知道为啥，这个6400万一直没有媒体报道。（答案截至2011年）

(35)

Q **月牙123问知情人**

想知道寺庙一年的香火钱有多少？感觉现在香火特别旺盛，上海的静安寺前不久重修完毕，那个金光闪闪啊！

A **本书编辑答月牙123**

这事儿可不好说，我们先后打电话去上海香火旺盛的静安寺和杭州灵隐寺询问，静安寺总机（021-62566366）一位接电话的工作人员说："这个不会和你说的，你不要问。"

灵隐寺总机（0571-87968665）的一位工作人员则表示："这个我不清楚，你要问我们负责人，只有他知道。他现在出公差了，我们联系不到他，没有他的联系方式，他到国外交流去了。"当我们问他香火钱够不够修缮用，他回答说："谁说得了呢，我们也不打听，做好自己本分工作。"

另一位正在进行一间寺庙修缮的作家杨葵说，寺庙的香火钱差距很大，有些藏区的偏远寺庙，一年的香火钱只有几百块，而修缮寺庙的花费则非常惊人。他正和朋友一起主持修缮的明代寺庙，有三个主殿以及一系列侧殿，大约要花费一千万。

（36）

Q *RP不好问一个酒后驾驶被拘留的人*

现在国家严惩酒后驾驶，我举双腿赞同！这些人不爱惜自己的生命就算了，还跑到马路上去危害他人，实在可气！不过，我怎么听说，酒后驾驶被拘留了，只要有门路，可以被"拘留"在星级宾馆？作为"犯案者"，你能给我讲讲实情么？

A **酒后驾驶被拘者邵先生答RP不好**

你的名字是"人品不好"的意思么？那像我这样酒后驾驶被拘留的，应该属于"没有人品"了吧。真有住酒店的么？我怎么没赶上啊？我周围喝酒的朋友挺多，没听说有这么一回事。是不是这么好的待遇不在深圳？我是在深圳"落网"的。那回被交警拦下"吹波波"，酒精浓度超过了80，立刻就被"控制"，然后就上了警车，先是被送到市交警大队机动大队的"醉酒驾驶处理组"，当时是凌晨2点多，那儿人很多——交警一次行动能逮到不少。实际上根据法律规定，交警是不能拘留人的，得公安局才行，但现在为了简化程序，在拘留的地方挂了公安分局的牌子。那儿分两个地方，看管组和询问组，我先被送到看管组等着，那是个类似会议室的地方，有椅子，门口有保安，等了一个多小时后，被送去了询问组，那里有人一对一进行询问，还有人做笔录。询问的内容是例如"对醉酒驾驶有无异议"之类的，之后在笔录上签字。做完笔录后，我们就一起坐上了警车（第一次坐，真拉风），被送到了深圳市第一拘留所。进去之前要先体检，测体温、量血压、验血、透视等。奇怪的是，这个体检有人要交钱，有人不用交——我是不用交的那个，但我没明白为什么——因为我长得帅？

正式进了拘留所，就跟你们在电视里看到的那样，那里的人态度就不那么好了。住处是分配的，我住了VIP间，5个人一间，每张床宽90公分左右，没有枕头。不过这算好的，运气不好的，得住15个人一间的大通铺。那里的灯是24小时不关的，除了洗手间，到处都有摄像头，这对我的心理震撼很大。晚上可以看电视，只有一个台，深圳都市频道，不过这一个台已经是我在里面最主要的享受了。我在里面待了20天，认识了不少朋友，到现在关系都不错，他们当中有医生（副主任），有一个开印刷厂的，还有开电子厂的。你说的住酒店，我真觉得不可能，因为和我一起关进拘留所的，有不少政府官员，你说要是能住酒店，他们为什么不去住？

(37)

Q **朵朵问民警**

新闻里说偷故宫那哥们是因为用二代身份证在网吧上网被抓的，我很好奇这二代证都能查啥？听说随便哪位民警都能查到任何人的二代证使用记录，是不是真的？那岂不是你们很轻松能掌握黄晓明的行踪？

A **保定某民警答**

不是每个警察都可以随便查，必须遵循相关规定。当然，有案底的话都可以看到。一般各省公安可以看到本省居民的相关情况，要查外省需要申请。对于没有犯罪记录和犯罪嫌疑的公民，公安不会随意查询。明星的行踪不只有公安的途径可以查到。

广州某民警答

二代证和一代证，都是网上追逃的重要线索。一旦被警方列入犯罪嫌疑人，民警会在内部系统中发出网上追逃的协查通报，一旦嫌疑人使用身份证乘车、入住酒店，都会自动报警。一般巡警和民警都配有手持验证通，将二代证贴到上面，都可以读取芯片里的信息。警方可以掌握每个人的出行记录，但实际上，并不是每个民警都可以做的，这是有权限规定的。

38

Q **黄XX问贺州市公安局长或某个公安民警**

我是广西贺州市的人，由于我那边赌博比较盛行，所以经常有警察去抓赌，但是几乎都是先抓钱后抓人。我很好奇，我想问，是不是有类似抓赌的操作说明提到抓赌最好是先抓钱，后抓人？是不是其他地方的抓赌也是先抓钱，后抓人？

A **本书编辑答**

我们发了两次邮件至贺州市公安局网站上的局长信箱地址，但邮件均被退回。

某派出所民警小张答

这个问题挺幼稚的。我们如果接到举报去抓赌，到了现场，第一件事肯定是控制场面，不可能让人跑掉。要处罚你，肯定要有证据证明你赌博了，赌资、赌具，缺一不可，但首先是要有人在。赌资并不是唯一证据。不管现场有多少钱，只要是能证明有赌博行为，我们肯定会进行处罚。只要是在现场赌博范围内，我们搜查到的钱都会认定为赌资。而如果有旁证证明了你参与赌博，即使你身上没有钱，我们也是可以认定你参与了赌博，进行处罚。

(39)

Q 放牛娃问五毛党

你们真的发帖挣钱吗？一个帖多少钱？发微博不？
怎么看网络水军？

A 重庆某县网宣员答放牛娃

什么是五毛党？发帖给五毛钱吗？

1.那是不是太便宜了？ 2.这么便宜的五毛钱我也没见
到。3.看到观点跟自己不一样，就怀疑对方收了钱，
鄙视。

网宣是一项工作，上下班有点，发帖、跟帖、引导
舆论、澄清事实、与网民沟通是我们的基本工作，
不是计件工资，不会单独给奖励。当然，每位同事
的发帖数量和质量会和工作考核有关，这跟大部分
其他工作也是一样的吧？有时候所发的内容可能跟
自己想的不一样，但那是工作。

我们的工作没有微博内容。网络水军是收钱说假
话，我们是不收钱说真话。

Q **卢培佳问济南火车站**

好歹是山东的省会城市，为啥不卖站台票呢？万一哪天我有了女朋友来济南看望我，等她走的时候，我只能站在通道口傻呵呵地望着她拖着沉重的行李和零食过安检，坐电梯到二楼，然后再慌张地找自己是在ABCD哪个区，然后进乱哄哄的候车室，然后随着人流检票，又下楼梯去找自己的车厢……然后有所希冀地回首时，看到的是若干双空洞的眼睛，而不是含情脉脉的我。本该是恋恋不舍的拥抱、亲吻、挥泪告别、目送、火车远行的场景，怎么变成了躲在车站外边呆呆地给自己的姑娘发短信呢？

A **本书编辑答卢培佳**

几经周转，我们接通了火车站客运办公室的电话（0531-82429562）。以下是编辑和对方工作人员的对话。

想问一下，现在为什么不卖站台票了？

为了旅客的安全，铁路运行秩序的正常，有困难可以到值班站长室。

这样很不方便，我男友送我的时候，不能到站台送我，我一个人大包小包的，拖着很累很累，我和他连挥手告别的机会都没有。

老人、小孩可以送，大人不行，但也不绝对，得找值班站长室。

唉，情侣连分别浪漫一下的机会也没有。

没办法，同志，这不是我说了算。他可以送你到候车室嘛！

候车室离站台还有好远呢！

没办法，我还有一个电话。挂了。

Q **马老湿问中国移动**

国家在杜绝短信发送黄段子，我强烈支持。我也最讨厌我老公用黄段子的方式和我调情了。请问贵部门，能不能发明一种机器，监测我老公有没有和别的女人瞎搞，这在技术上可行吗？这比发黄段子更可耻吧。如果可以，我愿意为我老公的"机机"申请10个电话号码。

A **中国移动客服人员答马老湿**

这么敏感的事情我们无法处理。（编辑：那这件事技术上能不能实现？）对不起我没有办法回答您。

(42)

Q **孤帆问知情者**

在飞机上碰见一个人，我问他在哪儿工作，他说
baojian局，我问是保监局吧，他说是保健局。这是
不是骗子啊，中国有保健局吗？

A **本书编辑答孤帆**

可能是骗子，可能不是。虽然你在搜索引擎里输入
"保健局"，系统会提醒你"您要找的是不是：
保监局"，但中国确实有保健局。如果是保监局，
那是地方的，因为在北京的叫保监会；如果是保健
局，那就是中央机构了，卫生部保健局，俗称中央
保健局，设在卫生部下面，看起来是个司局，但现
任局长却是正部级干部。

保健局是干啥的呢？英文名说得比较清楚：Bureau of
Health Care for Senior Officials。

保健局的主要职责是，拟订并组织实施中央保健工
作方针政策与规划；承担中央保健对象和在京中央
国家机关及有关单位医疗照顾对象的医疗与预防保
健工作；负责组织协调承担中央保健任务的医疗机
构的有关工作；指导协调全国干部保健体系建设的
有关工作；承担党和国家重要会议和活动的医疗卫

生保障工作；负责京外重要保健对象来京就医；负责来访的外国元首、政府首脑和重要外宾的医疗安排。

保健局下设三个处——综合处、保健处和医疗处，卫生部网站上对这三个处的详细职能都作了介绍，为了避免泄密，我们只转载其中相对不重要的医疗处的职能。如下：

1．负责中央国家机关在京单位的副部级、司局级干部及相应待遇的高级知识分子的医疗管理工作。

2．拟定对上述级别范围内干部有关的医疗管理制度。

3．负责上述范围内的外地干部来京的医疗安排。组织专家到外地，参加副省级及享受副省级医疗待遇的干部会惨、抢救等事宜。

4．负责北京地区干部门诊、病房床位等有关统计工作及宏观规划。掌握中央国家机关各部委享受医疗照顾对象的变动情况。

5．负责有关大型会议医疗保健的组织安排工作。

6．掌握国内有关疗养院的医疗情况，并组织干部疗养院管理工作经验交流会；协助安排干部的疗养事宜。

7．负责国务院办公厅、外交部、中联部等有关部门接待的政府高级代表团的外宾医疗组织安排与管理工作。

8. 负责组织北京地区承担干部医疗任务医院的医疗管理及经验交流工作。

9. 承担上级交办的其他工作。

那句"干部会惨"原文如此。

顺便说下，编辑打电话问了保健局他们负责多少在京司局级干部的医疗管理工作，被告知：这个不能透露，你问这个干啥？

国外媒体一般都怎么称呼我们
这儿所说的"领导"？

直呼其名，不加 "领导"，
能不用外号就满足吧。

(43)

Q **YA大问各个部委**

我在北京逛，好像很多部委都不开正门，正门都是
些花花草草，为什么？

A **外交部总机 (010-65961114) 接线人员答**

对不起，正门是北门，这个门一般不开，只有部长、
领导等来的时候开。我们平常开的东门和南门，如果
您来外交部办事，可以来东门，办理手续就可以了。
（注：外交部在朝阳门地铁站旁边，不过地铁在外交
部这边没有出口，坐地铁上班的外交部同志需要先出
地铁站，再转两米外的地下通道过马路。不要问我为
啥，这是另一个问题了。正门是北门，离路口最近，
但一般不开，据外交部的一位同志介绍，原因之一是
对外交部员工而言，上班的区域并不在正门进去的地
方，反而需要绕。北门一般在外国使节来时等外交、
礼宾场合打开，"这是惯例"。外宾来之前会提前通
报车牌号等，正门就会开放。美国前驻华大使洪博培
曾有一次骑自行车来，所以他被拦住了，从侧门放他
进来。去年外交部开放日，几十位受邀公众也是从正
门进入外交部的。）

公安部总机 *(010-65211114)* **接线人员答**

正门是朝长安街那个门，对，北门。（注：公安部大院面向长安街，正门是北门，不过不在办公大楼的正前方，而是在大楼的左前方，可以进车。办公大楼正对的是一排栅栏，也有两个看起来像是门的东西——掩藏在绿化灌木里的小铁栅栏门，很不起眼，栅栏铁门内摆着几株花花草草，看起来一般是不走人的，想进去要先把花花草草搬开。同在东长安街上的商务部，正门同为北门，常年正常开放。）

文化部总机 *(010-59881114)* **接线人员答**

文化部只有一个北门。对，大楼是朝西，但西边是封上的，没有门。（注：文化部的地址是朝阳门北大街10号，大楼朝西面向朝阳门大街，但是文化部工作人员透露，那里正对的就是一片东城区绿化地，没法在那里开个大门，因为就是开了大门，车辆也不能从花花草草上开过。所以，文化部只有北门，在大楼的侧面，常年开放。）

交通部总机 *(010-65292114)* **接线人员答**

我们正门朝西，在政协那边。南边是有个门，冲着长安街，但是不开。为什么不开？它就是不开啊。

（注：交通部在东长安街北侧，看起来正门应该是南门，但这里一般不开。2000年交通部出台过一个《交通部关于部机关接待外国代表团工作程序和要求》，其中一条就是"通知部公安局保卫处开南门，安排有关人员到南门迎送客人"。）

Q **乳酸菌问面临拆迁的人**

有个游戏特别火，叫"钉子户大战拆迁队"，不知道你们玩过没有？不过，我关心的是，现实生活中，像你们这些面临拆迁的人，战胜拆迁队的比例是多少？

A *刘三答乳酸菌*

我们家在金桥镇有一套1880年左右建成的古宅，在1949年的时候，我们拿到了《土地使用权证》，一家大小3代30多人居住在老宅内。1992年因为儿女都在市区工作，老宅当时留给一个跟着爷爷的短工看管。1997年因拆迁，突然一夜间老宅变为废墟。家里当时慌乱一片，爷爷一听老宅被拆一夜间病倒，随后爷爷奶奶相继去世。家里人回到老宅找到土地开发商，土地开放商否认此事与他们有关。家人只好报警处理，警察立案为："房子被盗！"这个事情至今尚未处理。

（45）

Q 克隆人之父问移动或者联通客服人员

1.你们有那么多种不同的话费套餐，看得人发晕，你们自己能记住么？推出那么多种套餐到底是为什么？2.你们的考核是怎么进行的？背诵套餐熟练程度是重要考核标准么？3.你遇到过最难缠的客户是怎样的？

A 中国移动曾经的优质话务员张翠兰答克隆人之父

1.我曾经在移动营业厅当过客服，我们的这些套餐一般是上级部门通过发传真的方式传达下来。早晨到单位经常会接到一个新的传真，攒起来厚厚一叠，想不起来了就查。主推的套餐会记得，其实每一个阶段，最好的选择只有一两个，所以，当顾客问一些乱七八糟的无聊套餐时，就引导他选最优惠的。这样就省事啦，反正有些套餐根本就是给自己找麻烦。

2.考核也是定期组织的，内容一般一半是有用的业务指导，一半是一些低幼的庞杂常识和一些需要人表白忠心表白理想的发挥型问答。比如，你的工作目标、理想、个人爱好，以及如何看待公司等。类似于组织让大家提意见，但阅卷的是直属领导，所以我们一般都选择提些貌似具体又异常空泛的意见。当然这些是七年前河北省移动的情况，近几年的我也不清楚了。

3.常会有伤心的妻子拿着老公的身份证想来打话单，但不知道密码，不能打，她们会痛诉自己有多么可怜，婚姻经历怎样的危机，非常需要这份话单。我们一般会教给她怎样偷偷趁老公不注意用他的手机把密码改掉再来自助机上打话单。怎么样？很有爱吧！

还有很多狂躁型过来踢馆的，一般会因为自己没有搞懂就申请了一个业务这种事想来砸抢，这种时候，请到办公室里在沙发上坐一坐，喝个免费的可乐基本上就算搞定了。曾经有个男人，为减免50元的补卡费持续交涉三个多小时，而且温吞地表示，是不会放过移动的，一定要蹭到这50元。我们只能无数次温存地告诉他，你很有道理，但几乎不可能实现，快四个小时的时候，一般他们会发现，其实他是在用自己的休息时间占用我们的上班时间。还有一个狗血的，一个奇怪男经常来骚扰，喊赔偿之类的话。他持续了近两年，进行不定时的突袭。后来我离开移动了，不知道他是否还在坚持。估计也是移动理亏一点儿吧，不理亏肯定早转到保安处理了。反正，一个地方待久了，就会碰到狗血事。

46

Q **深空记忆体问CCTV的人**

你们知道自己被称为CCAV吗？啥感受？

A **CCTV某位员工答**

当然知道，经常有同事还这样自嘲。如果AV了，以此自警，努力TV。若自己TV了，一笑而过。比如近年出国游人多了，总有些不文明现象，西方媒体就会说中国人素质差。以前河南出了几件事，有人就骂河南人都是骗子。我的意思，林子大了，什么鸟儿都有。但若以偏概全加诸全体，则是污蔑。不过，国人似乎有超能力，经常能一叶知秋，一叶见泰山。世界在他们眼里很简单，就一片叶子，真有童趣。

央视特约评论员王志安答

我曾发过一篇微博——"某天和@薛兆丰等人寒暄，说到网上将央视称为CCAV，兆丰一本正经地说：我觉得这是夸奖。众皆不解。兆丰说：我觉得能拍A片的绝对是高手，那么简单的事，还能拍成有趣的电影，多难呀！"而我觉得本台大多数节目的吸引力的确不如。

MAY.8
1864

Red Cross

红十字会
是什么星座的?

国际红十字会由瑞士一名银
行家亨利·杜南创立于1864
年5月8日，这么看来，国际
红十字会是金牛座。

Q **农场动物问有关部门**

食品特供是不是特神秘啊？为什么《南方周末》的报道从网上被删了？你们吃得起说不起吗？你们吃有机食品，哪里会对食品安全有切肤之痛？

A **本书编辑答农场动物**

你说的这个有关部门比食品特供还神秘，我找不到。但应该说食品特供是个公开的秘密……相当公开，甚至政府官网上都是承认的，举几个例子：

部委级别的，如国务院机关事务管理局网站上的一篇宣传稿件（http://www.ggj.gov.cn/jghq/zgjghq/2002/200210/t20040701_2800.htm）中提到，针对食品污染问题，国家体育总局领导提出，要解决职工餐桌污染问题，使职工吃上无公害、放心的绿色蔬菜。

体育总局官网（http://www.sport.gov.cn/n16/n33193/n33223/n34689/n36051/980557.html）上有这么一句：田主任介绍了服务中心为了使机关和各直属单位的职工吃上干净菜、放心菜，七年磨一剑，把一片荒芜贫瘠的宅基地，建成了总局副食基地。基地全部使用有机肥，不使用化肥和农药，保证了总局食堂无公害菜蔬的供应。

省级的，例如海南省人民政府官网（http://www.hainan.gov.cn/data/news/2006/07/16066/）上提到：近日省机关事务管理局有关人员经实地考察，拟把该基地定为省直机关安全放心蔬菜的特供基地。

地区级别的，吐鲁番地区政府网（http://www.tlf.gov.cn/xwysym.jsp?urltype=news.NewsContentUrl&wbnewsid=64699&wbtreeid=291）上说：自10月29日（2010年）国家农业部机关服务局与地区农业局正式签订有机瓜果蔬菜供销合作协议后，目前吐鲁番市亚尔乡、鄯善县辟展乡、托克逊县夏乡的1000座温室大棚正式被确定为农业部生产瓜果蔬菜的定点"菜园子"。

据了解，自与农业部签订合作协议之日起，该地区已先后5次向北京空运了约4吨的瓜果和蔬菜，平均一周空运一次。据主要组织货源的土乐繁邦有机果蔬配送中心负责人介绍，目前该地区空运至农业部机关服务局的瓜果、蔬菜主要有哈密瓜、茄子、辣椒、四季豆、黄瓜、西红柿等六七个品种，蔬菜供货的品种是根据我地区大棚生产情况和农业部机关食堂的需要共同商议而定的。从目前北京反馈的情况来看，他们对吐鲁番瓜果和蔬菜的质量非常满意。

据地区农业局负责人介绍，吐鲁番市亚尔乡、鄯善
县辟展乡、托克逊县夏乡之所以能成为农业部的菜
园子，除了这3个乡镇均是各县市的重点设施农业建
设基地外，关键在于这3个乡镇已经形成了有机种植
模式和管理体制，生产的各类蔬菜质量可以保证。
农业部的"菜园子"并不是终身制，今后随着市场
和蔬菜需求量的增加，其他乡镇也有可能成为北京
特供"菜园子"。

县级的，河北省固安县政府网站（http://www.lfguan.
gov.cn/new/Html/news/zhaoshangyinzi/gazs/gazsnr.html）
上有这么一句：中央警卫局副食基地依托地热生产
的鲜活农副产品直供中南海。

48

Q **游客火星弟弟问故宫**

首先，你们不是叫故宫博物院吗，怎么感觉更像是景点，里面都没多少文物可看，还不如我们陕西历史博物馆？其次，没啥文物还被偷了？

A **故宫某工作人员答游客火星弟弟**

首先，我们确实是博物院，地库里有上百万件藏品，公众能看到的只是其中很小的一部分。之所以不能在故宫内展示更多文物，是因为故宫建筑本身就是文物古迹，而且是土木结构，不允许接电，没法走线路，无法达到基本的保温保湿要求，所以文物只能放在地库里。陕西历史博物馆是现代建筑，而法国卢浮宫等也不存在防火、用电问题。长期来看，只能通过修建地下故宫来解决这一问题。

故宫被盗的不是文物，而是临时展品。这种事情谁也想不到，不会再发生了。

49

> *p 111*

Q **梦之一半问台湾地区的"80后"和"90后"**

对于你们，中国是一个什么概念？大陆在你们的眼
中是什么样子的？从一出生，你们看到的就是你们
脚下的那片土地！接受的就是你们大人给你们的教
育！吃的就是你们那儿成长的瓜果牛羊！对于隔海
相望的"公鸡"，你们的体会也许远没有你们的父
辈那么深！那么在你们眼中，对于"回归祖国"这
事儿是否像大陆大多数人一样热情？

A **台湾大学社会学硕士在读学生小时候答梦之一半**

不可否认，因为历史因素台湾对大陆存在许多复杂
的情绪，这份复杂的情绪在我们父祖辈当中也许表
现为乡愁，但我们这一代年轻人却免不了困惑。

事实上，我是典型受中华文化教育长大的孩子，在
文化上对中国古典事物有很深的孺慕之情，这份孺
慕之情来自于想象的中国。但是，文化上的亲近并
没有让我们对大陆感到亲近。

对我来说，文化上的倾慕和全盘认同是不一样的。
我这一代的台湾人在日常生活中几乎不会对两岸问
题感到困扰，因为大家越来越清楚二者有了不同的
进程。

更进一步来说，我发现大陆人对台湾的想象也是很矛盾的。举个最明显的例子：我在上海做足浴的时候跟一位大姐聊天，她很热烈地问我关于台湾的事，也表明了对"同胞"的热烈欢迎。

有趣的是，谈话快要结束时她突然问我："哎呀，你的普通话怎么讲得这样好，那些从日本、韩国来的人都不会讲普通话的。"

今年我去了一趟上海，发现大陆社会气氛有了些转变，越来越多人开始更开放地思考自己和国家的关系，我相信这对于任何一个国家来说都不是坏事。

个人和国家的关系得以松绑，我认为这是进步的象征。很期待未来世界看到的大陆也能有不一样的面貌，就像我看到的那样。

> Q²⁸ 延伸阅读

墙外的姑娘 ／ 贾葭

如果陶宏开教授站在我面前，我想他一定会偷偷摸摸掏出一根电棍，趁我不备时悄悄捅我一下，即便我是个遵纪守法从未被扣分的良民。这十年来，我每周的上网时间，都两倍于陶教授的上班时间，不在床上，就在网上。作为一个杂志编辑，工作离不开网，就像鱼儿离不开水，瓜儿离不开秧。

上网并非完全为获取信息，我们知道，中国的互联网跟国外不同，假如我们把万维网比作一个湖，中国互联网就是湖边养珍珠用的那一小片带围栏的狭小水域。放养和圈养的区别就在于，自由的有无与多少。所以有时候不会觉得它只是个工具，而觉得它是个敌人，有种非战胜它不可的冲动。假如能游出去，会有种不受约束的兴奋，这是人的天性使然。

这片水面突然多了一道围栏，大约始于2002年。访问外网现在对于很多人而言已算不得什么大不了的事儿，在当初那可真是难上加难，尤其是文科生。第一次出现页面的错误返回提示，想当然地认为是网络连接问题，于是把网吧老板叫过来大发脾气。

老板一遍又一遍按着F4，然后猫着腰检查网线和服务器，最后沮丧地说，这不是网络连接问题，而是您要上的网站，在咱们国家，是打不开的。什么？打不开？为什么？给个理由先。我不就是想看看台湾大学嘛。老板说，这个是我们经验之外的东西，您只能问电信局了。另一些人还以为台湾大学官网是收费网站而打不开，沮丧无比。

　　有天上网，有个哥们儿传了个软件给我，安装点击之后，跳出一个网页，尽是一些打死我都不敢相信的、闻所未闻的新闻，吓了一跳，以为有人编造了一个新的理想世界。赶紧关掉这个网页，再上其他外部网站，就畅通无阻了。

　　这种软件最初是谁下载拷贝的不得而知，反正大家如获至宝在MSN上传来传去，我还听说有三块钱一个往外卖的，包教包会。后来有个不太好的缺陷，就是得不停地升级，最终被国内杀毒软件列为病毒，见了就删。也有人认为这是最不靠谱的外网访问办法。

　　做新闻之后，发现很多外国媒体报道的生猛东西，都能在外网上看到，而国内，要么就没有，要么就会晚几天。为了跟人家拼时效和选题，我们杂志的编辑就天天趴在外网上。来了实习生，一人发一个破网软件，让他们去学习。当时我提出一个口号：尺度决定深度，力量决定快感。大家都搞得很high。直到有一天，我们不小心把一个可以下载破网软件的网址堂而皇之登到了杂志上面，才知道玩过了。

有一阵子，在北京的饭局上，能否上外网简直是划分阵营的利器，你问一个人会不会上外网，就跟问他赞成不赞成代议制和自由经济是一个意思。彼时只是出去看看新闻和色情网站，中国的杂志编辑很分裂，大脑里的新闻和呈现在纸面上的新闻完全不同，精彩程度也千差万别。在饭局上每个人都会有大量好玩的故事讲给你听，但是对不起，这可不是选题会。

后来就到了web2.0的时代，有一些交友网站和视频网站，在全球都是数一数二的，能看到好多你从来都不敢想象的东西。也许是我们对罪恶以及美好的事物从来缺乏想象力，等真正见到的时候，才觉得周遭的空气黏稠得像一碗馊掉的粥。于是，翻墙变得心安理得并且光明正大。我经常在想，假如我要是程序员，会把自己开发的破网软件命名为"蓝莲花"。

　　墙看不见摸不着，就好比进了一个无人管理的卫生间，那种味道有着无形的强大的阻力。江南旧宅里，最常见的砖雕是"张生夜会崔莺莺"。憨态可掬的张生坐在墙头笑容满面，墙外，则是一个漂亮的姑娘。墙里是荒草没径，墙外却是春色无边。俗话说，墙倒众人推，其实倒也不必太用力推，经验告诉我们，假如一座墙可以被轻易洞穿的话，离倒的那一天，也就不远了。

> Q⁴⁹ 延伸阅读

爱丽丝的秋海棠 ／ 杨佳娴

作为一个20世纪70年代后期出生的台湾人，我刚好经历过威权时代与非威权时代的过渡。解严的时候我九岁，来年蒋经国去世，我当时不知道这代表什么意义，只是发现附近一所提供给半工读学生的宿舍，那些蓝制服的青年全都跑出去，聚集在杂货店里看电视，交头接耳。一种奇怪的气氛在串流。

而我在南方的台湾第二大城高雄长大，这座城市一度被当做"民主圣地"（曾发生过"高雄事件"，逮捕了许多国民党外运动人士），可是，某些自由思潮，也很奇怪的，比起台北，还要慢一点才影响到中小学内的校园生活。所以，我拥有令我的同年纪台北朋友错愕的若干经历。

例如，小学时代，班级导师发给每个同学五张卡片，假如听见同学说台语，就可以要求该位同学交出一张卡片。学期末，统计每个同学手上卡片的多寡，卡片越多，表示"国语化"得越彻底，方言说得少，是好孩子，好国民。我记得那时草木皆兵，连发出本地的发语词"欸"，也会有一群同学一拥而上大叫："你说台语！给我一张！"那时候，我们以为对岸的人民全是讲"国语"的，如果有一天真要"统"在一起，我们一张口就是台语，久违的同胞会听不懂。

　　或者是，我曾长期担任升旗典礼司仪。每逢假日，前一天就要在朝会时举行庆祝大会，"青年节庆祝大会"、"行宪纪念日庆祝大会"之类。我把白制服拉平了，拢一拢头发，端立于司令台一侧，自觉以比平日肃穆三倍的声音宣布："纪念大会开始——现在恭请校长为我们致辞！"典礼结束，台下同学们额上大珠小珠，谁也没在听，互做怪表情，用脚尖踢来踢去。重点是，最后我得以昂扬的声情带领全校同学呼口号，口号内容不外乎"服从领袖领导"、"三民主义统一中国"之类。参加演讲比赛、作文比赛，无论如何，到了结尾也一定要写"拯救大陆同胞于水深火热之中"，以表示我是时时刻刻把这样庄重的信念放在心上。

　　可是，也许是因为那已经是戒严文化末期，一切都形式化了，我其实是从来都不知道"大陆同胞"陷于怎样的"水深火热"之中的。我只知道，大陆很大，省份很多，各省物产和交通路线得背起来，假如考卷上面问你："王小明想搭乘火车从福州到北京去探望舅舅，他会经过哪些铁路？"必须能正确作答。

　　童年读物里有一套《美丽秋海棠》，彩图，铜版纸，附注音，内容是假设两岸已经统一，台湾这里组了小学生团体去大陆作长达一年的访问旅行。那些童言童语带读者进入过去只在地理课本读到的世界，西湖、哈尔滨、呼和浩特、雅鲁藏布江。那个世界熟悉又陌生，我像爱丽丝忽然走进了梦中，没有兔子，可是有那么一只怀表始终滴答作响，提醒我某些时差的存在。

p114- p163

本章节问答更倾向于　　　　　　　例句："害羞和脸红什么关系？"

采写：科学松鼠会 等

Chapter 3

科学是什么?

当我们爱上别人时,
实际上是多巴胺在爱。

50

Q **桃之夭问**

能不能找个人回答我，为什么女人的肚脐眼普遍比男人的好看？至少根据我的统计是这样的。

A **深圳市北大医院妇产科医生张主任答桃之夭**

肚脐眼形状的形成是个很随意、偶然的事儿，没有人去统计说男的还是女的肚脐更好看。婴儿出生以后，断脐的传统做法，是留1公分到1.5公分长的脐带，剪断后等待多余的部分自行脱落。一般来说这个过程需要七天到十几天，恢复的时间比较长，碰到水容易感染。上海在很多年前就已经不采用这个方法，而是在婴儿出生24小时后直接从脐带根部剪断。这个方法其实挺好的，过不了几天伤口就自行恢复了。但是在深圳没有人敢这么做。深圳人太矫情了，爱瞎闹瞎搅和，所以这里很多方面反而比较落后。至于形状的形成，应该是和皮下脂肪有关，后天皮下脂肪不一样，肚脐的形状表现也会不一样。另外，自行脱落后形成的肚脐，长起来会不均匀，采用直接在根部剪断的方法，伤口会比较平整。这就像给你一张纸，你手撕的，和剪刀剪的，肯定是后者比较平滑。

(51)

Q **梦想小花园问**

我是个轻度洁癖患者，我们家用得最快的日用品就是洗手液。别人摸过的我的东西，我一定会再擦一遍。比如，钟点工擦过了我的桌子，我的那些瓶瓶罐罐，我就会再用湿纸巾擦一遍。我想知道，别人"摸"过了我的东西，到底会在那件东西上留下什么？他的指纹？他的表皮脱落下来的死了的细胞？留下的这些东西，到底脏不脏？

A **蓝枫答梦想小花园**

Hello，我是科学松鼠会的蓝枫，我刚刚给患者看完病，可以握个手吗？开个玩笑，不过我的回答你来说或许会受不了。所以，以下文字请在伴侣或监护人的陪同下谨慎阅读，如有不适，请及时随诊寻求帮助。

从你的描述中，我似乎看到了一个勤劳美丽的主妇，终日身着家居服，手握拖布杆，从卧室奋战到客厅，从卫生间转战到露台。当然，很高兴的是，貌似你的洁癖并没有给你带来过度的恐慌，你并没有极度焦虑、怀疑、粗暴地自我评判等那些CCMD-III中所列举的症状，所以，你仅仅是洁癖，并没有因此罹患强迫症。而你的轻微洁癖好好地利用或许还可以为你的家庭带来非常健康、舒适、整洁的家居环境，这可是多少男人梦寐以求的好老婆哦。

然后再说说你的问题吧，你想知道别人"摸"过的东西，到底会留下什么。那么就要看你怎么去"看"人了。直观地看，我们是一块皮肉组成的整体，可是如果在高倍显微镜下，其实我们都是一个又一个再接着一个、各种各样小小细胞组成的庞然大物。一般情况下，我们一个成人会拥有几百万亿个细胞，通过特殊的黏合方式，这些细胞或密密麻麻地紧密排列，或悠闲自在地游动，便组成了我们人体。这样一来，我们的手部表皮自然也就是一些细胞组成的，这些细胞叫做角化细胞，它在尽自己最大努力去抵抗摩擦，防止体液外渗和化学物质内侵。然而，它也会凋亡，当战亡后，它便会慢慢脱离它的战友——我们的身体。至于落在哪里，那完全是个运气的问题。所以说，很有可能会在你"摸"我的东西时，遗落给我。

除了你所担心的这些外，其他的看不见的，那么就是一些细菌了。要说到细菌，可以推荐你看一下科学松鼠会的经典大片《菌城旧事》。简单地说，人体内的细菌数量可以达到细胞数的十倍左右，加起来也不过三四斤重吧。这里面存在有益菌也存在有害菌，更有随风观望的两面派。说到这儿，插播一个新近的研究，纽约大学的马丁教授认为，由于人类过度使用抗生素让祖先传下来的有些细菌被扼杀了，于是……我们悲催地变得肥胖了。所以说，想减肥的妹妹，需要好好对待你们身上的细菌哦。手上的细菌更不用说了，我们一双手上可以有几十上百万个细菌，一克指甲垢里更是可以藏下几十亿个细菌，听起来不知道你会不会鸡皮疙瘩满地。所以说，即便洗手，也不会完完全全让它们离开你的。

当然，除非部分致命的极具危害性的细菌，无数代人类的传承，已经让我们这些细胞群生物学会了和这些细菌和谐共存，所以说，不要担心，它们其实和我们一样，只不过小了一点。

至于手上其他的，那些看得见的，我想你也就不会害怕了。什么泥土、污渍，很多人和你一样，担心和恐惧的不过是些看不见的、不了解的小东西罢了。那么慢慢地了解它们，下一次换你来告诉我，它们脏抑或不脏吧。

（52）

Q *微傻问*

脸红和害羞到底有什么关系？害羞这种情绪，到底
是怎样引起了皮肤泛红？我们的身体是先感到害羞
这种情绪然后脸红，还是脸先行红了，继而加重了
害羞这种情绪？

A *Riset答微傻*

说到脸红这事儿呀，让我回想起最喜欢的影星苏
菲·玛索遇到的一桩糗事。在2005年的法国戛纳电影
节上，正在红地毯上走秀的她由于肩带滑落导致整
个左半胸部都走了光。哎哟，看到这一场景，我都
脸红啦。

除了白脸的曹操与红脸的关公这类天赋异禀的人之
外，大多数人在感到害羞时都会或多或少地脸红，
这是与突然而至的羞涩感相生相伴的一种自然生理
反应。在已知的动物中，人类是唯一具有脸红这种
特征的物种。达尔文老先生在他的煌煌巨著《物种
起源》中描述脸红时曾提到，颜面潮红是最独特和
最具人类特征的表情。

脸红的发作是由机体交感神经系统所激活的，这一
系统的行为不由意识控制，也就是说脸红的产生

与消退完全不随主观意志转移。当判断出自己的所作所为令人害羞时，机体就开始分泌肾上腺素。在这种天然兴奋剂的作用下，呼吸和心跳逐渐加快，血管开始膨胀，以便提高血液流动和氧气输送的速度。脸部同样是这样，潜藏在皮肤下的静脉血管响应肾上腺素的号召，扩张开来，更多的血液流经这里。由于映过皮肤的血液颜色要比往常更多，那一抹红色便出现在脸颊。虽然那恰似水莲花不胜凉风的娇羞常常被用作褒义的形容词，但有时候当事人的感受或许根本就南辕北辙。一些人由于遗传、性格、精神创伤或刺激等因素，容易出现精神紧张，导致交感神经过度兴奋，进而面部血管出现扩张，而在社会评价因素的影响下，脸红冲动频繁产生，促使精神紧张程度恶化，这样一来又加重了交感神经的兴奋，形成恶性循环。长此以往，容易致人患上赤面恐惧症。尽管患者心中知道社交并没有什么可怕之处，但遇到这种场合还是容易一股热血直冲上头。对付这种疾病，除了及时进行心理干预，对症状严重者还要施以胸交感神经阻断术方能缓解。

最后顺便提一下，据说当时一阵慌乱后，可爱的苏菲也脸红了一小会儿，啊哈，我更喜欢她了。

大眼睛真的是美的
评判标准之一么？

鸵鸟的眼睛比脑袋大。

(53)

Q **弹琵琶的大叔问**

看到微博上说，四位法国教授讨论法军空袭利比亚问题。有两位坚决支持，理由是人权高于一切；一位支持，理由是法国利益是最重要选择；一位老教授却很纠结。他认为，卡扎菲杀害本国平民该打，但总统萨科齐没有资格出这个风头。他说：萨科齐在北约领导人中个子最矮，所以他总想走到最前面让人看得见，这次他做到了。我想知道，矮个子的人，在个性上会比高个子更喜欢出风头么？

A **0.618答弹琵琶的大叔**

身为一个小个子，我从自身角度认真反思了这个问题。小个子一般从小就站在队伍的前几位，偶尔不排队时也习惯于为争取一片视野而不得不往前面挤；小个子为了够到公交车上面的扶手，不得不把全身绷直；小个子为了让他人减小对话时的俯角，不得不尽量挺胸抬头，努力将身体拉直和地面成直角。

可不幸的是，不光生活给小个子带来不便，人们内心对小个子也存在偏见。想知道人们的价值取向，看征婚启事是个捷径——你只见过要求"身高180cm以上"或"160~170cm"的，从来没听说过要求

"XX以下"的吧！心理学家也发现很多好处和身高是成正比的。比如2004年佛罗里达大学管理学院的Timothy Judge就发现人们的身高和工资成正比，尤其对于男性而言。人们会以貌取人，偏爱大个子。

由于天生的身材差异，大个子和小个子在后来的成长过程中被区别对待，不同的经历造就了他们性格上的微小差异。利物浦大学的Tuvia Melamed1992年发表论文称高个子的人更独立、自信。

但为什么会说"小个子更喜欢出风头"呢？这个说法还没有研究支持。

不过既然你问了，那么我们大胆假设一下：小个子就是爱出风头。这个现象又可以如何解释呢？事后诸葛亮式的解释最容易不过了。从身心关系上来说，不光"脑有所想身有所动"，身体的动作同样会改变大脑的想法。不信请将嘴角上翘，是不是感觉到高兴了？同理，不久前《心理科学》上发表的美国西北大学Kellogg管理学院Adam Galinsky教授等人的论文就指出，开放性的伸展的权势姿势会给人带来"权力思维"——从领导的角度考虑问题。所以回顾一下第一段，小个子经常需要摆出开放性的伸展姿势，有时为了引起别人的注意，还经常要跳起来（有木有！）。同理，这些"出风头"的动作日久天长便可能形成"爱出风头"的作风。而大个子常常为了照顾小个子的感受，养成驼背、低头哈腰的习惯，经常往下看也会给自己的大脑造成"低头认罪"的错觉。

分析是这么分析，具体情况因人而异，切忌对号入座，因为成长过程中不确定因素太多，哪怕一个对身高有特殊偏好的小学老师都可能给儿童带来潜移默化的影响。

小个子自顾自地喷完这篇回答毫无压力，反正我个子小，不抬头就看不到你们的表情；大个子的心思也许比人们想象的更细腻，因为他们能看到每个人的反应，需要照顾所有人的感受。

小个子要出风头才能被人看见，大个子不需要出风头就能被人看见，究竟谁更出风头呢？

(54)

Q *ai月问*

在《性别战争》里，我看到金鱼偶尔会被青蛙强奸而淹死，可是金鱼怎么会被淹死？另外，金鱼被青蛙强奸以后，会生出什么？金色的小蝌蚪么？

A *Ent答ai月*

首先，金鱼会淹死吗？医学上对溺水的严格定义是因为液体进入肺部导致窒息缺氧，金鱼没有肺，所以不符这个定义。不过金鱼毫无疑问是可以在水下窒息而死的，按照日常用语习惯，这已经算是"淹死"了。某种意义上鱼离开水也可以算是"淹"死在空气里吧，不过考虑到青蛙抱对一般在水中进行，我们排除这种可能。

鱼虽然在水里，但还是需要氧气的，只不过氧气是溶解在水中而已。氧气在水里的溶解度非常之低，远远低于空气中的氧含量；溶解速度较慢，水里的扩散又不快，因此相对停滞的水体（比如小池塘或水族箱）很容易出现局部缺氧的情况。鱼儿对此的反应一般是游到有氧气的地方。而当缺氧较为严重时，唯一稍微有点氧气的地方是接近水面处（因为靠近空气，有少量的空气中的氧气会溶解在水里），所以鱼儿就会"浮头"。即便它们这时看起来是在吸"气"，其实呼吸的只是含氧较多的表层水而已，不能直接利用空气里的氧。这时候如果你不采取补氧措施，鱼儿很快就要从浮头变成浮肚皮了……

所以，如果整个水体都缺氧，那么鱼儿就会"淹死"在水里，导致鱼类死亡的重要原因之一就是缺氧；如果水体局部缺氧，而鱼儿因为某种原因不能自由地离开这个地方游到别处，也会淹死。第三种可能就是鱼儿的鳃被堵住了，没法让携氧水流通过，这和人口鼻被捂住类似，也会淹死（也许说成是憋死更合适）。

其次，金鱼是否会被青蛙强奸的问题。奥利维雅·贾德森所引的文献来自一本颇为生僻的杂志《养鱼人与池塘管理者》1968年的一篇文章，可惜这本杂志已经停止发行，也没有数字化，笔者也没有找到纸质版本，因而无从查考其真实性。但是，我们可以构想出一个可能场景：

1.雄青蛙发现了一只金鱼，欲火焚身的它奋不顾身扑了过去，游得慢的金鱼根本无力反抗。

2.雄青蛙扑住金鱼后采取了标准的抱对姿势，就是把金鱼压在身下。

3.或者由于过程耗能太多，或者由于在原地停留时间过长，雄青蛙消耗了周围水环境中的氧气，金鱼感到缺氧试图游走，但是没有成功……另外雄青蛙的姿势也可能妨碍了金鱼鳃盖的运动。青蛙采取的是皮肤和肺两个呼吸渠道，所以有可能在消耗掉水里的氧气时，依然保持口鼻在水面以上，自己还可以正常呼吸。

4.金鱼不幸因缺氧而牺牲……

我相信那篇文章的作者目睹的也是类似场景。不过还是要找到原文献才能最后定论。

最后，青蛙和金鱼之间差异太大，不会有结果的……不同物种间普遍存在生殖隔离，偶尔亲缘关系很近的物种隔离可能还不够完全，但是青蛙和金鱼分道扬镳已经至少四亿年，不要说冬雷夏雪，海枯石烂都不知道多少次了。所以这段故事注定还是要悲剧的吧。

(55)

Q *抖抖问*

1.从2009年开始全国各大城市的水价纷纷上调,都说一天要喝八杯水才健康,水越来越贵的时候,我们怎样保持健康? 2.我的一个朋友最近得了慢性肾病,但是依然过着愉快的性生活。据说中医说的肾和西医的肾不是一回事?

A **上海中医药大学硕士叶海霞答抖抖**

1.可以让一杯水事半功倍。现代人大多数阳虚,容易口干口渴,晚上易烦躁,喝水的时候可以在水里加一些滋阴的药材,比如玉竹、沙参、枸杞、麦冬等,自制药茶。

2.原则上肾病对性生活应该没有影响,但我想恐怕还是要节制一下。中医的肾除了肩负肾脏功能,还主管生殖系统,中医说肾藏精,就是主管体内的元气,有时候我们说的大脑疲劳,也和中医说的肾有关。而西医所讲的肾只是中医的一部分。

狗不能吃巧克力？

家里养狗的主人注意藏好
巧克力，它可以杀死狗，
只要几盎司。

(56)

Q *神经的哪咤问*

张悟本的绿豆养生红火的时候，许多人恨不得捧着绿豆汤睡觉，可惜没多久他就被爆出是个骗子，迅速落马。近两年中医养生一边被热捧，一边被强烈质疑，中医的拥趸和反对者几乎一样多。我们也就一些健康问题请一位中医进行了回答（见第55题），你觉得她的答复靠谱么？

A *云无心答神经的哪咤*

规范说来，"中医""西医"的说法是不准确的。我们现在说的"中医"是指中国的传统医学，西方也有他们的传统医学，那些部分才是和"中医"对应的"西医"。通常所说的"西医"是指现代医学，虽然在西方发展起来，但是世界各国的科学家都在为其发展作贡献。与"现代医学"对应的，是包括"中医"在内的世界各国的"传统医学"。具体就第55题中的回答，1."阳虚""滋阴"这些概念应该请中医界先给一个明确的定义，尤其是判断标准是什么，否则只能空谈。现代科学里面说人每天需要一定量的水，不仅仅是直接喝的水，还包含了饮食中的水，比如各种饮料也算。至于那些"滋阴"的药材，通过什么证明能够解决人体缺水的问题，也没有证据。从现代科学角度来看，既然成分不明，那么其中含有对人体有益成分的可能性就跟含有有害成分的可能性一样大。口渴了直接喝水就行，不渴也别勉强自己。2.老祖宗们定义"肾"的时候根本就不知道人体中有现代医学所说的"肾"这个东西的存在，不能因为用了同一个汉字就把它们捆在一起。传统医学中的"肾"如何理解我不清楚，但是现代科学里说的肾跟生殖系统没有关系，也离精液很远。至于大脑疲劳，如果能够证明跟肾有关，倒是一个巨大的发现。

(57)

Q **柚子皮爱滑跌倒问**

自古以来，人类就向往动物的某种能力，比如豹的速度、鹰的视力、熊的力量——对的，我是看《布雷斯特警长》动画片长大的。那么，假设开一届所有动物都参加的地球奥林匹克会，人类会输得很惨么？

A **一度想报兽医学的猫一苹答柚子皮爱滑跌倒**

作为一名人类信心保卫者，我认为咱们不能妄自菲薄。一位名叫约翰·戴维·沃德的人类学家曾经在泰国和韩国做过英文教师，目前在加州一所高中任教。他认为：其实人类被远远低估了，人类还是具备相当优势的，比如在无尾直立行走组，我们是非常牛逼的短跑选手；另外如果游泳比赛开始的话，我们和其他灵长类动物相比，拿个金牌不在话下；再有，虽说在哺乳类动物组里，我们的嗅觉的确算不上第一，不过以普遍水准而言，我们嗅觉还算中等以上啦。所以总结沃德的意见，我认为和谁比，比什么项目，以及在什么地方比，这才是重中之重。因为毕竟人类的大脑还是最牛的，你不信和猪比马拉松，和蜘蛛比举重，和大象比平衡木试试！自信心就得是这么来的！

58

Q **一直是球型问**

我们常常用"冷血动物"来形容那些无情的人。想知道，每个人血液的温度都是一样的么？如果有不一样，血液温度更冷一些的人，在个性上会有类似更冷静、更理智、更无情的倾向么？

A **圆儿答一直是球型**

我很冷，但我很温柔。

形容一个人冷血，是一 种比喻的修辞方式，"冷血"代表着"冷血动物"，和人本身的血液温度没什么直接关系。钱锺书先生在《围城》里的描写："李先生本来像冬蛰的冷血动物，给顾先生当众恭维得春气入身，蠕蠕欲动。"原文中描写的"冬蛰的冷血动物"多半是蛇之类的动物。因为蛇一来看起来比较丑，二来如果毒蛇咬人会致命，三来它们行踪隐蔽，动作迅速，所以难免给人带来冷酷无情的感觉，用冷血来形容那些无情的人便是缘于此。

人是热血动物，也被称为恒温动物。我们的体温不会随着外界环境温度而改变，始终保持恒定。绝大多数鸟类和哺乳动物都属于此类。与之相对的是冷血动物，也叫变温动物，顾名思义，体温会随着外界温度的变化而变化。所以说，冷血动物其实不一定冷血，它们的血液温度是和环境有关的。如果环境温度很高，它们的体温和血液温度能比热血动物还高。

人类的血液温度的范围大约是33℃到38℃，其高低和体温高低是息息相关的。血液温度越高，体温也就越高。人和人之间的血液温度都会有差异，不仅如此，对于同一个人来说，他的血液温度也是不停地变化的。白天和晚上的温度不同，睡觉和清醒时的温度不同，就连女生"大姨妈"的时候，温度也会和平时不一样。那么血液的温度和一个人的个性有没有关系呢？"冷血"一点的人会不会更无情呢？

几百年前，哲学家康德就试图用血液的特质来解释人的性格气质差异。他认为，不同性格的人血液特质也各不相同。比如，他认为胆汁质的人血液的温度较高，而黏液质的人血液的温度较低。当然，这只是他的猜想，并没有任何的依据。

而科学家做实验发现，人的性格和体温的关系很扑朔迷离，并不是"冷血"无情这样的简单关系。比如说，有的研究发现内向的人早上的体温可能略微高一点，晚上的体温更低，外向的人恰恰相反。而另外的一些研究却没有发现任何关联。所以对于不同的人来说，性格和体温还没有发现特别明显的关系。但另一个有趣的现象是，我们在接受别人帮助以后会感觉到心里"暖洋洋的"，而如果被拒绝的话会觉得"冷冰冰的"。事实上，科学家做实验发现，人类在社交上的感受能影响到对环境温度的估计，也就是说，人类的社会感情和温度也是密不可分的。另一个实验里，在温度较高的情况下，人的信任感会提升。科学家猜测，这可能和大脑里的"脑岛"（insula）的活跃程度有关。所以形容一个人性格上冷酷其实是和给人带来的感觉有关，和这个人的血冷不冷却没有什么关系的。

还有研究表明，对于哺乳动物来说，体温越低寿命就会越长。看来"冷血"一点也不赖嘛！

(59)

Q *Claw问*

你们还记得多年前世界杯那个章鱼保罗么？我至今想知道，章鱼本人真的有那么聪明么？据说它是有九个大脑？

A *瘦驼答Claw*

你还没忘掉这事啊？不过章鱼这家伙超乎想象地聪明呢。从解剖上说，章鱼的"脑"应该是脑神经节，也就是藏在眼睛后面一个小小软骨围成的腔里的东西。它还有三个心脏，还能认出镜子里的自己哦。

必须怀念保罗

我叫章鱼，或者叫我保罗也可以，我已经死了，但活着的时候那么出名我也值了，之前不是还有一部关于我的电影上映了么？我的英文名字叫*Octopus*，也有人叫我八爪鱼，谁让我有八条腿呢——哦，腿的学术称呼是，腕足。有人说我长得丑，看起来张牙舞爪，像凶神恶煞。其实我个性温和友善又胆小，从来不随便欺负小朋友。有的时候，我向你喷水只因为淘气，想逗你玩儿。

我是触手系

我其实很讨厌"交接腕"这个名字，明明是我们用来做爱的腕足，名字却一点都没有诗意。在这条"交接腕"上，末端隐藏着一根*penis*。到了荷尔蒙迸发的季节，我就把"交接腕"伸到我的妞的身体里，运送精子。

镜子镜子我美么？

都说我们章鱼聪明，那是因为，我们有一大堆的"脑"。和你们人类高度集中的脑不同，我们的"脑"是很分散的。专家们认为，我的"脑"，严格意义上应该是"脑神经节"，它们总的起到了脑的作用。因为聪明，我能认出镜子里的自己，知道自己美不美。

Q **肌肉卷问**

有些吃素的人说，无法直视动物被屠宰时的目光。事实上，动物们被屠宰的时候，的确会嗷嗷大叫。我想，它们应该很疼。那么，植物也会有类似"疼"的感觉么？比如，我们割韭菜的时候，韭菜会疼么？我们撕开一朵花的时候，花会疼么？

A **史军答肌肉卷**

在通常情况下，我们都认为植物是没有感觉，麻木不仁的。植物没有像动物那样专门传递信号的神经系统，也没有像动物的大脑、神经节这样处理感觉信息的控制中心。但是，这并不代表植物就是没有感觉的死木头，或者是不知疼痛，任动物啃食的一堆碳水化合物。越来越多的研究表明，植物确实有自己的感觉和相应做出的"小动作"。

好了，在我们讨论植物会不会有切肤之痛（好像掰掉花和叶比"切肤"的伤害等级要高得多）之前，首先，我们需要界定一下什么是疼痛。对于动物而言，就是在机体受到伤害性刺激时（比如刀割、火烧等），体内组织会释放出引发疼痛的物质（例如钾离子、组织胺、前列腺素等），神经末梢将这些物质产生的痛觉信号，传入中枢神经，就感受到痛了。说到底，就是机体遇到麻烦的信号，通知生物体采取行动，避免更大的损伤。

我们现在已经可以肯定，植物在受到侵害时，也会发出信号，通知身体的其他部位做好防御准备。这个信号的产生和传递过程以及产生的效果，都与动物的痛觉反应如出一辙。

当植物受到侵害时，首先做出的反应是提高受伤部位的超氧化物含量，同时也分泌出葡萄糖组成寡聚糖和氨基酸系统素，这些化学分子在植物体内慢慢扩散开来，并激活植物的防御基因，促使那些还没有受到侵害的细枝叶做好防御准备（如分泌氰化物和单宁）。受伤的叶片还会释放出乙烯等气体信号，更快速地将"疼痛"信号传递给身体的其他部位。顺带说一句，除了受伤害的植物，临近的同族也会接收并识别这类化学信号，并做好防御准备。

不过，植物"痛觉"并不仅限于化学物质，它们还会使用电信号。1992年时，东安格利亚（University of East Anglia）的研究人员发现，当对西红柿幼苗的子叶进行隔离冷冻时，其他叶片的细胞也有同步的电位变化，也就是说冻伤信息以电信号的形式传遍了幼苗全身。虽然植物体内没有特化的神经细胞，但是，植物细胞间存在被称为胞间连丝的通道。目前认为，这些通道在传导电信号过程中起了重要作用。这跟动物体内的神经传导有着异曲同工之妙。

更有意思的是，植物似乎还明白"疼痛"的轻重。当卷心菜受到菜粉蝶青虫啃食的时候，释放出的化学信号（用以吸引黄蜂来收拾这些青虫）会随着入侵者数量的增多而增强。如果碰上下嘴比较狠的小菜蛾，不管敌人的数量多少，卷心菜都会释放出高强度的"求救信号"。

很遗憾，植物这些痛觉反应对人类几乎是没有作用了，我们会预测植物的反应，在遭到报复前就逃开了。不过，作为万物之灵的我们，多少应该大度一点，不要为了一时高兴去摘花折叶，因为它们真的会痛哦。

61

Q 新款哈士奇问

前一阵"蛋疼"这个词超级火暴，男生爱用，女生也爱用。作为女生，很好奇，"蛋"真的会疼么？在什么情况下会发生"蛋疼"这件事？女生也会么？

A 李清晨答新款哈士奇

影视剧中我们常见到当女性面对比自己强大的男性的暴力威胁时，冷不丁飞起一脚正中男人的裆部，在男人痛苦万端时，女人趁机逃跑。女性的疑问可能会是，对方真的会那么疼么？这一招好使么？对于多数男性而言，对此应该是没有疑问的，就算多数男人没有被女人的撩阴脚重伤过，但是在体育运动中（足球、棒球一类）误伤了睾丸的情况下，就算没重到需要医生的救治，其疼痛程度也是刻骨铭心的。我只能提醒女性，撩阴脚杀伤力太大，只能用在紧急关头，非用不可时……记得要够准够狠。

除了外伤，久坐也可引发"蛋疼"。无聊时，很多人选择上网来打发时间，如果是男性长时间地坐在沙发一类的软椅子上，致使睾丸外周的温度上升，更兼静脉回流受阻，于是因睾丸缺血引起的"蛋疼"也就不可避免了。

而另外一种蛋疼的情况，男女真的就比较接近了，我是说疼的位置接近。这就是某些牵涉痛导致的蛋疼。内脏疾病往往引起体表一定部位的疼痛，这称为牵涉性疼痛，例如泌尿系统的结石导致的输尿管痉挛，可以表现为阴囊及睾丸疼痛，这是由于输尿管和睾丸的自主传入神经进入相同的脊髓段。然而，这一脊髓段的神经分布男女是近似的，因此，这种牵涉痛如果发生在女性身上，疼痛的部位则为同侧的大阴唇。事实上，在胚胎发育的过程中，当混沌初开、男女初辨的当口，阴囊与大阴唇原本就是同源器官，因此，在这种情况下的蛋疼，男女殊途同归也就不足为怪了。有过被肾结石折磨经历的人，回忆一下，在剧烈的绞痛发生之前，蛋疼了没有？

另外，大约有25%的蛋疼是找不到原因的。没有被蛋疼折磨得生不如死的男人可能真的无法想象，病人会因为疼痛而下决心切掉自己的男性象征。杯具的是，很多人切了蛋以后依然蛋疼，如果不能找到确切的原因，恐怕任何治疗措施都将难以奏效。不明原因的男性慢性睾丸疼痛，也许还得让医学界"蛋疼"一段日子。

62

Q **胡文迪问**

我是一个初二的学生，从八九岁开始，会有一个叫
"小T"的生物跟我交流，起初是我晚上睡觉的时
候，它才出现。后来慢慢在白天它也会跟我说话，
而且声音很清晰。我知道这是我的幻想，但有时候
我做了一些事，它能马上说出结果。我是不是有严
重的精神癔想？

A **蓝枫答胡文迪**

真的吗？我很想知道小T是个什么样的生物，像阿凡
达那样吗？我可以和它交朋友吗？其实，很多人在
小时候也和你一样，有一个只有自己能感知到的伙
伴。嗯，我们就叫它幻想朋友吧。

在美国有两个专门研究幻想朋友的人，一个叫泰
勒，一个叫卡尔森，他们采访了很多人，通过筛选
比对发现，有65%的人曾经有过自己的幻想朋友。就
像你说的一样，幻想朋友会经常出现在你的左右，
为你出谋划策、指引方向，或者仅仅是单纯地陪你
聊天。而它也只会属于你自己，别人不会看到它，
你很少主动透露自己有这样的朋友，更不用说会跟
别人分享它。你可以真切地感受到它在说话还是在

pm 2.5

你觉得现在和童年的
最大区别是什么?

过去有雾,现在有霾。过
去有星星和星矢,现在星
期一得戴防毒口罩。

笑，或者伤心郁闷的情境。当然，这一切都是你自己和它的秘密。幻想朋友其实是我们内心的映射，幻想朋友所表述出来的，其实恰恰是你所想的。当你喜欢一个新模型时，他会说："嘿，这个很cool是吧？"当你考试成绩糟糕被老师批评的时候，小T或许也会帮你说话："其实这几道题你都会做，就是马虎了嘛，不要紧，下次努力回来就好了。"

幻想朋友会因为你的不同而不同。像《成长的烦恼》中，克丽丝因为哥哥麦克无法陪自己玩，便幻想出了一个麦克老鼠。麦克老鼠表现的尽是麦克作为哥哥应该做到的事情——保护妹妹安全、给妹妹讲故事之类的。而当全家人意识到麦克老鼠的存在是因为他们的疏忽，而让克丽丝感到寂寞时，便一齐上阵，不久麦克老鼠也就悄悄地跑走了。一般情况下，10岁前幻想朋友都会慢慢地淡出你的生活。当然，也有些人即使到了成年，幻想朋友也会依旧陪伴着他们，作为他们的精神支持。而很多人误以为拥有幻想朋友的一定是内向、拘谨的人，其实不然。有些活泼开朗的人也会拥有他们的幻想朋友，这些朋友会跟他一同分享每一滴快乐。

所以说，拥有幻想朋友并不是什么精神癔症，是很多人可能出现的一种心理映射，爸爸妈妈或者其他人不应该因此而说你瞎想、发傻，而应该间接通过你的幻想朋友更好地了解你。当然，我们也不能过于沉溺于和自己幻想朋友的私密空间，因为在这之外，我们还应该有更多的好朋友，更大的社交空间。哦，对了，最后悄悄地告诉你，其实在我的小时候，我的幻想朋友叫做"豆丁"哦。

63

Q **Ella不是Elle问**

我8岁的弟弟有一天突然问我："为什么蟑螂都是四脚朝天死的？"我想了想，貌似除了被我踩死的之外，还真是这个情况，这是为什么呢？

A **科技作家负二答Ella不是Elle**

第一是因为从身体构造来说，背重肚轻：大多数动物的身板子排列都是防备保护或骨骼在背面，肌肉等较薄弱的团体在腹面，所以背部分量更重一些。而当蟑螂垂死的时候，这个肌肉无力支撑较重的背面团体。其次也因为死亡（或者垂死）的昆虫会对三对腹足失去控制，无法再将重心保持在腹部以下——就像人类死亡时不可能保持站立姿势一样。

第二，昆虫的腿根部与躯干连接的部位是呈放射状聚集在一起的，顶部有个躯干约束，这样的结构，腿部若是呈完全放松状态，应当是根部垂直于躯干。在这样的状态下，六条腿是内收的，而要让六条腿张开，与躯干夹角呈锐角，则需要腿部力量实现——前者就是昆虫的死亡状态，后者是昆虫活着时的状态。如果六条腿内收，则昆虫就无法将重心保持在腹部以下，就会侧翻，而由于躯干本身重心的调整，侧翻后还会再翻转90度，变成腹部朝上。
第三则是因为蟑螂独特的呼吸系统。它依靠腹部呼吸，因此大部分杀虫剂的原理都是堵住蟑螂呼吸的气孔，使其窒息而死。可见，洗洁精也足以杀死蟑螂，如果你愿意的话。

64

Q **小鼠彪问**

为什么我特别爱哭？好多时候，我其实并没有那么感动，我的内心甚至还在说，没什么好哭的，但我还是会流眼泪。这种时候包括：在电视上看到五星红旗在天安门广场升起时，看到运动员在奥运会拿了金牌时（主要是，我压根就不认为金牌有什么牛逼），新年钟声响起时（靠，我又老了一岁，有什么好激动的）……哭的生理机制到底是什么？哭，并不和心理上的感动直接相关对不对？有什么办法可以治好我的爱哭病么？实在太丢脸了。

A **Seren答小鼠彪**

流泪，是一个让我格外感兴趣的问题，因为我自己就是一个很少流泪的人。从很小时候开始，我就想知道，为什么人要流泪？为什么有人频繁流泪，而有人，譬如我，无论看了多悲伤的小说或电影，都很难掉下泪来？

然而，在我领取了这个问题之后，我所发现的第一件事情却让我惊讶不已：对于流泪这样极其普遍，又格外深层的人类行为，有关它的科学研究，远比我想象的要少。并非我一人如此感觉，明尼苏达大

你的中国梦是什么?

据说人一年平均做1460个梦,已经占用了大量时间,我不需
要再多一个梦了。你可以问问我的猫,它也会做梦的。

学的教授William Frey就曾在一次访谈中说："在由于情感因素而流泪,以及它在我们生活中有什么样的生理作用这方面,研究之少,令人难以置信。"不过,在只鳞片爪的阅读里,我终于对流泪,有了多一点的认识。

人类的眼泪分为三种:"基本眼泪"(basal tears)是我们的泪腺持续不断排出的液体。它可不是简单的盐水。眼泪里含有许多不同种类的化学物质,包括小分子物质、脂类和蛋白质。许多重要的激素也能在眼泪中找到。这种眼泪日以继夜地湿润我们的眼球,冲刷尘土污物,并可以抑制细菌感染。虽然我们往往不能感受到它的存在,它对于眼睛健康的作用却是异常重要。另一种眼泪称为"反射眼泪"(reflex tears),这就是我们切洋葱时,或者眼睛里被吹进沙砾时大量排出的眼泪,它在眼睛遭到"袭击"时,冲刷眼球与眼眶,带走有害的物质,也能保护我们心灵的窗户。

第三种眼泪,也是问题中提到的,我们最关心,然而研究最少的一种:由于心理、情感因素而流出的眼泪(emotional tears)。这种眼泪被很多学者认为是人类特有的眼泪,它与我们最基本的情感相关。大脑中的边缘系统控制着人类这些古老的情感，同时也操控我们的泪腺。而各种与心理、情绪相关的激素也在调控流泪中起到重要作用。有趣的是，科学家们曾经比较了情感性眼泪与反射眼泪、基本眼泪的化学组成，发现前者所含有的蛋白质与特定的激素比后者只多不少。所以有人认为，之所以很多人在痛哭之后感觉很好，就正是因为眼泪带走了一些与心理压力、忧郁相关的激素。

眼泪除了减压以外，也有沟通、交流的作用，虽然在不同的文化中，流泪也许有着不同的意义，但它都起到展示人的内心情感的作用。我们在学会说话之前，就依靠哭泣来表达我们的不满，唤起亲人的注意。在成人世界里，流泪往往泄露了我们的悲伤无助，激发旁人的同情心，换来安慰与支持。然而，这种简单的"沟通、引起注意"的理论，远远不足以解释我们为什么流泪——许多人只在独处时才哭泣，而很多婴儿在哭闹时根本不会流下眼泪。而近年在《科学》杂志上发表的一篇文章，则将女性的眼泪与降低男性性兴奋联系在一起——研究显示，在嗅过女人的眼泪之后，虽然男性被试者根本不知道这些液体是什么，他们却显示出较低的性欲与雄性激素的水平。脑成像显示，他们大脑中与性唤起有关的脑区也活性降低。作者认为，女性眼泪中也许含有某些化学信号（chemosignal），产生了这样的作用。

也许正是因为流泪与太多的人类情感相关，包括悲伤、痛苦、恐惧、惊慌，甚至欢乐、满足与惊喜，所以它的心理、生理机制才显得格外错综复杂，而每个个体流泪的频率、强度也如此不同。而且，虽然情感性流泪与情绪和遭遇相关，遗传基因似乎也在控制流泪频率中扮演着重要作用。有研究显示，DNA序列完全相同的同卵双胞胎之间，哭泣频率的相似度就大于只分享50％DNA的异卵双胞胎。

虽然流泪多少都可能是正常的心理、生理反应，但在某些人群中，流泪或哭泣的频度，却确实与其他人不同。譬如，不止一项研究显示，患有深度抑郁的人就较少流泪哭泣，而有趣（或让人悲哀）的是，另一项研究发现，抗抑郁药的本身也有可能降低人流泪的频率。这当然不是说，哭得少的人就有抑郁症（活蹦乱跳的本文作者就是众多反例之一），但流泪频率与心理疾病之间的关系，却为为数不多的流泪研究提供了一个有趣的方向。

看到最后，我还是无法解释为什么有的人爱流泪，有的人不爱，也无法为"为什么我们要流泪"提供确切的答案。但毫无疑问的是，无论多寡，因情感而流泪都是人类重要而独特的一项特征，是每个个体的宝贵经历。

65

> p 160

Q **一直在卡纸问**

丝网印刷是个什么玩意儿？听人说过，这是一个古老的技术，我觉得挺有趣。老的技术多好啊，就像酸奶，青海老酸奶比那些蒙牛什么的出的所谓老酸奶好喝多了。

A **丹麦艺术家André Moulin答一直在卡纸**

丝网印刷是一项古老的中国技术，但丝绸在当今已经被聚酯网取代。我第一次听说这项技术就对它产生了浓厚的兴趣。我买来了关于丝网印刷的指导书，但复杂的步骤、高昂的成本扼杀了趣味和创造性，我丢掉指导书，开始了各种试验。出乎意料，丝网印刷其实非常容易，也可以用很低的成本完成。完全可以在家里尝试。我已经教会了上百人用我的便宜简单版本的丝网印刷，每个人都很惊讶——这个方法真的管用！把画布放到温水下面洗，用洗碗布把未曝光的乳液洗掉，把网布和照片对比，看是否洗干净了？我觉得上海就像这种干净，是一种丝质的干净。

> Q⁶⁵ 延伸阅读

丝网印刷 DIY／
Kid & André Moulin

1. 组装木框，图片中的木框尺寸是30厘米×40厘米。

2. 橡胶锤子让组装工作更容易。

3. 用装订机把网布订到木框上。

4. 把多余的网布剪掉。

5. 涂一层感光乳剂在网布上面（没必要在黑暗中进行）。

6. 两面都要涂上。

7. 把感光乳剂抹平。

8. 乳剂需要在黑暗中晾干，需4~6个小时。

9. 找一个图片模板，比如数码照片，这张是哥本哈根皇家剧院。

10. 和弄投影仪的图片一样，把照片打印到一个透明膜片上去。然后把有图片的透明膜粘到网布上去，可以用透明胶布固定位置。

11. 画布放在500瓦的灯前晒3～6分钟，灯放在离画布20厘米远的地方。

12. 画布放到温水下面洗，用洗碗布把未曝光的乳液洗掉。

13. 把网布和照片对比，看是不是洗干净了。

14. 在白纸上用深色做测试。

15. 用刷板（木头平板）沾上丙烯或者纺织颜料。

16. 45度角把颜料涂在网布上。

17. 网布从白纸上拿开。

18. 留在网布上的多余颜料可以立即用作下一幅画，避免浪费。

19. 用好后把网布清洗干净，避免留下干掉的颜料。

20. 检查白纸上的图案，所有的细节都印上去了没有？大功告成。

本章节问答更倾向于   例句：“永远有多远？”

采写：小饭 等

Chapter 4

美国有什么值得推荐的音乐人？

请拿放大镜看这张图。

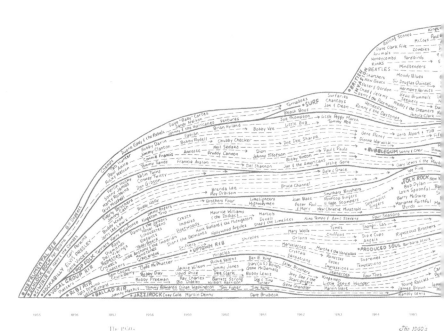

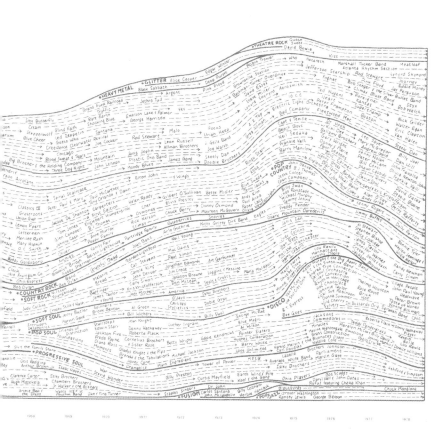

The 1970's

Q **大龄男青年问王小峰**

你是我心目中文艺男青年的代表，你又有才华又有点小幽默，让我们这些平淡的中年男人很自卑。你能不能介绍一下作为一个临近中年的男人，怎么引起大家的关注比较靠谱？比如，列举一些必去的场所、必备的服装、必须会谈论的话题、必须知道的几本书等。总之，就是如何在一群上了点年纪的人当中显出那么一点卓尔不群的文艺气息？

A **王小峰答大龄男青年**

很感谢你们提出这样好的问题，让我可以把憋了几十年的话一口气说出来。嗯，真是太感谢了，以前我一直想表达我内心的某些感受，但是一直没有人来问这样的问题，让我一直承受着不该有的那份孤独。想到我要回答这个问题，心里就很激动，双手在颤抖，这感觉就像冯、张、姜、陈站在奥斯卡的领奖台上，焦急等待了很多年的百感交集的心情一样。

我想还是不要用痛说革命家史的方式讲述我的感受，那样太矜持，太装逼了，会拉开与普通青年的距离，抬高自己的身价，显得跟领导干部一样。

那我简短些说，事实上我从小是很自卑的，上小学时，我从来当不上班干部，连课代表都没当过，看到那些当了班干部或课代表并能在班里行使某些权力的同学，我又羡慕又嫉妒，但是老师从来都没有考虑过让我做点什么，我想我的历任班主任从来就没有意识到我的存在，甚至同学也没有意识到我的存在。自然，也没有女生会正眼看我，同学们玩从来不带我，我考出了好成绩老师会怀疑我是作弊的结果，但我相信自己有一天，一定会引起人们的关注。丑小鸭总会变成白天鹅的，不管是用转基因方式还是用山寨方式，总之会变成白天鹅，变成白天鹅就可以曲项向天歌了。

我上大学的时候，商业还不是很发达，不像现在谁都可以在媒体上混出点名堂。但我是个有心计的人，我开始研究传播学，当然，那些书讲的都是纸媒体操作的事情，可我看到的是我自己，"我"如何能像一个媒体一样传播出去？这是我大学四年苦思冥想的一个课题。我查看了很多书，从中发现了些许规律，在这里与君分享。

1.你一定要跟别人不一样。说来也挺可悲的，我从来不想跟别人不一样，我希望能被人认可，感受到集体的温暖，但从小就没人待见我，我被群体孤立。

直到有一天我从书上看到"狗咬人不是新闻，人咬狗才是新闻"这句话，立刻茅塞顿开，我恰恰因为被孤立而变得与众不同，绝对纯天然。这让我有了理论依据，可以勇往直前。虽然我随时要像出头鸟一样被干掉，但是我挺过来了，我习惯站在大多数的对立面，这让我变得卓尔不群。记住，选好一个有对立面的位置很重要哦。

2.一个人被异性认可，才会体现出他的魅力。我一直在研究女人喜欢男人什么，结果让我很沮丧，她们热爱财富、地位、容貌、学识。前两类必须经过奋斗和努力才能得到，可我不想在这方面耽误太多时间。容貌，天哪，我是从来不敢照镜子的人，父母不幸给了我这般模样，我只能默默承受，承受数不清的春来冬去。唯一能让我改进的就是学识，因为这东西是虚的。我又研究如何让自己变得学富五车，谈吐不凡。我发现，人和人之间在知识结构方面都存在着不对等的差异，比如，A只对B领域了解，C只对D领域了解，你不能跟A谈论B，跟C探讨D，如果你跟A谈论D，跟C谈论B，避其锋芒，突出自己，就显得很牛。我一直跟理科生谈论文艺，跟文科生谈论科学，见人说鬼话，见鬼说人话，屡试不爽。当然要注意的是，千万别让A和C碰面，穿帮的结局很悲惨。我就这样一路走来，总能碰上假装欣赏有学识的女孩，让我的和她的虚荣心心心相印。

3.事实上我不幽默，为了讨人喜欢必须幽默。中国是个不幽默的国家，如果你有一点点幽默都能亭亭玉立，这点我早看出来了。买各种关于幽默的书，有三十多本，我听遍所有相声、小品，把段子背得滚瓜烂熟，以备在众人面前口吐莲花。但究竟什么是幽默，我现在也不知道，把别人的东西拿过来，说别人的话，走自己的路，也算是不走寻常路。尤其是有了互联网，就更方便了。

4.最后，也是在互联网时代要叮嘱你的，你千万不要只会说网络上的流行语，赶时髦可以让你找到你认同的大多数，却未必让大多数认同你。当你胸无点墨，你一定要弄一点墨，哪怕一点，都能让你与众不同。没事可以翻翻四书五经，或者《中华大字典》，找一些生僻的字词用在你的谈吐中，记住，哪怕你多这么一点，都会改变你的命运，如果将来你写字的时候能多这么一—"点"，说不定能当作协主席呢。看，胸有点墨多重要啊。

5.加油吧，你。

（67）

Q **张小耀问中国作协主席铁凝**

记得铁阿姨写过一部小说叫《永远有多远》。铁
阿姨，你能说说永远到底有多远吗？

A **铁凝答张小耀**

永远真的很远，因为那是长久的坚持或承诺。

永远其实不远，因为它始于当下每一刻的努力和
持续。

也许，心有多远，永远就有多远。

也许，永远只是随着时光的流淌，对人的心路历
程的丈量。

PS：铁凝在回给编辑的邮件中说，能够提问本身
就是对生活的一种积极态度，虽然答题者常常会
不得要领，但重要的是，提问能引你在一个特定
的时刻全神贯注。

68

Q *Ylhhps问周云蓬*

你好，我有个小妹妹网友，由于条件不允许，她不能收发邮件，所以让我代问：你9岁失明，为什么在某本杂志中说16岁出门云游四海还可以认识到这么多的事物？我的小妹妹网友的问题是这个，但是我给了她一个颠覆她人生观世界观的回答，我说："艺术家可以冲破一切阻碍，包括马赛克。"所以，我也诚挚地问你这个问题，谢谢，求解答。

A *周云蓬答Ylhhps*

投入地生活。你不把那当作一次简单的旅行，你的感觉就来了。人们常常有错觉，觉得人一旦把眼睛蒙上了，世界和你就隔绝了。

实际上，生活是全方位的，是立体的。我建议你可以把眼睛蒙起来过一天，你会发现感觉是很奇妙的东西，你缺的那个部分，会让别的东西涌上来，去填那个缝隙。

(69)

> *p 218*

Q **人造人13号问好朋友周二**

最近大伙都在讨论"纯情"这事儿。据说，在张导的大作《山楂树之恋》中，男女主角因为没有上床，所以特别纯情，体现了真爱。据你的统计，男女主角上床与否，可不可以作为判断这是不是一个纯爱片的标准？另外，作为一个30岁的处女，你觉得什么是纯情？

A **周二答人造人13号**

《庐山恋》第一次出现接吻镜头，那简直要举国欢庆。《情书》倒确实没上床，可问题是人家的主题从头到尾根本也没纠结在上不上床这件事上，刻意规避，反而欲盖弥彰。《色即是空》无疑算限制级，不过河智苑因它被冠上国民玉女的头衔也是事实。无论是90年代出品的《神啊，请多给我一点时间》，还是2007年的《恋空》，女主角一上来不是援交感染艾滋就是被强暴生子，但偏偏这两部片子同样毋庸置疑是纯爱片的经典。一尘不染的干净不过是最肤浅和做作的干净，从最肮脏不堪里擦出干净给人看，才更容易让人闭嘴。

我一直以为床戏的长短只能判断这是不是一个A片。

或许用"是不是只在床上做"这个标准来区分文艺片和情色片，倒还差强人意。纯爱片和情色片根本就不在一个度量衡上，前者是生理学，而后者是物理学。如果非要用画面分级，不如看动漫最简单，是不是纯爱片就看男女主角的身后有没有突然开满蔷薇花和星星。当然，那是小学生的思维。如果爱情要用上床来分级，摸摸身体就是纯情，再进一步就成流氓了，这种制式的心理负担很容易制造出大量阳痿和性冷淡的。不上床未必是纯爱的充分条件，但能不能上床，那绝对是爱的必要条件。

杨过小龙女够柏拉图了吧，他们也要上床的，不然黄衣少女从哪来的？我想纯情大概就是得不到。一旦到手，就变成过日子了。

007这绰号怎么这么怪？

当年一位叫詹姆士的人参加一
场考试，他的考号是007。

70

Q **小黑问弹钢琴的**

前几天我第一次跟朋友去听了一场钢琴独奏音乐会，很受震动。那些歌恍惚都听过，那些节奏好像天然就形成的，而且那些曲子很长，有的竟然长达二十几分钟！我不说那个钢琴家弹得好听不好听，有多妙（因为我才接触，也没什么判断力），我就是很好奇，为什么那些音符，那么多而且那么密集，1234567，7654321，弹钢琴的怎么就能记得住呢？我知道非但要记住音符还得记住休止符呢！简而言之，看上去密密麻麻的乐谱是如何被音乐家记住的？

A **青年钢琴家宋思衡答小黑**

曾有朋友拿起我放在琴上的乐谱，随意翻了几页："你是怎么记住这些黑压压的小蝌蚪的？上万？有的吧？"这是我人生中第二多被人问到的问题，第一是：你水平肯定超过钢琴十级了吧？不过这一次难度有所增加，因为我从来没有数完过一首大型乐曲的音符数量。特别是那些几十页密密麻麻的乐谱，就像从下往上数几十层的高楼，到一半眼睛就对一块儿去了。

数都数不清的音符，是如何被识谱并且演奏的呢？

这看起来是个很深奥的问题，如同世界上其他很多深奥的问题，似乎一辈子都没有办法理解。其实在现实生活中，音乐家一样有很多没有办法理解的问题，也许更多，因为他需要花大量时间在一个离现实很远的世界里自个儿待着。

然而最终和大多数人一样，迫于成长的压力还是开始理解一些现实事物。比如一些个善意的谎言，一些个恶意的实话。一些明知不可为而为之，一些明知可为而不能为之。欺诈，压迫，战争，残暴，总之都是一些大人世界里的鸟事。其实这些无非都是先习惯，后明白。如果不是习以为常，我还真就明白不了。

记住乐谱也没什么深奥的，无非就是如此。

最早也是在爸爸严厉的镇压下被迫去学习理解这些看似枯燥的乐谱并且不厌其烦地反复练习和演奏，然而几年之后我就爱上了这些密密麻麻的小蝌蚪。因为在经过戒尺和咆哮的帮助下熟练地阅读和演奏这些枯燥的乐谱之后，我开始发现这些乐谱背后的秘密，一个前所未有的新世界，一个能在飘逸着异国芬芳的土地上，建立自己王国的冷酷仙境。

人生最悲哀的事情之一，就是被迫地要去先习惯而后明白这个真假不辨的世界。就像企业家满世界地强势推销他们最新的产品，美其名曰更好的生活方式，结果世界还真的被他们改变了。当然，至于好坏，我想他们是不会关心的。所谓潮流、风尚、生活方式，不过就是人类自己鼓吹出来的一个个漂亮的烟圈，你习惯了自然会为它埋单。

所以呢，有兴趣的话先学一点点基本乐理，听一点点古典音乐，习惯一点了，你就能理解了。

我们这辈子要习惯理解很多鸟事，所以你不在乎去多习惯理解一些。

不过音乐这一样东西，也许会改变你的世界。

至少，它从来不骗人。

(71)

Q **摄影师盲问亲嘴专家**

我发现外国电影里的男女吻戏，嘴巴离开嘴巴的时候经常会发出"zhui er"的一声，但感觉中国人亲嘴儿怎么也发不出来这个声音。求达人科普。

A **电影研究人员尹珊珊答摄影师盲**

在接吻这件事情上，我深信全世界人民的情感都是一样浓烈炽热的。关于"zhui er"这种发音，在舌尖部位发生，跟我国汉子妹子的用嘴唇闭合发出声音的机理有着迥然差异。你自己试试看发出"zhui er"这种声音，就会发现这是类似于假啄对方的声音。我模仿了很多次，只有这种假动作才能成功。

那么我得出了自己的结论：

首先为了显示出我是一个专业人士，我会告诉你，在电影的录音阶段，用我们通常使用的方式来发出吻的声音（嘴唇）容易出现破音，就是突然出现尖锐高频音——这是厉害的录音室所不能容忍的粗鄙。怎能因为你要表达感情，就令我的声音作品出现这么恶心的技术错误？可如果一旦发生在口腔内，就不存在收音的时候会破掉、出现高频噪音的问题，录音师顿时觉得好舒服！

嗯，还有就是假吻。你知道什么叫借位吧？你知道哪怕拍AV也有大部分的借位拍摄假动作吧？"zhuier"这样的发音很多时候摆出章鱼圈圈嘴就够了，外形也比较好看，不会在被某些别有用心的截屏达人工作时，截出一张《机器猫》中小夫那样的尖角嘴。同时，演员用章鱼圈圈嘴假吻，口红就不会蹭掉，也不会留在对方的脸上。

以上回答，请专业人士一笑了之，请非专业人士铭记于心（可以找人配合，模拟测试）。

(72)

Q **Aab问蒋方舟三个问题**

1.你平时那么忙，大学里学习成绩怎么样，挂过科吗？2.你理想中的男朋友是什么样子的？3.你对婚前性行为怎么看，自己可以接受吗？

A **蒋方舟答Aab**

1.没挂过科。但成绩也不算顶好，中上而已。大概因为我对成绩不十分在乎，三分力挣得七成分数已经心满意足。但是自己在乎的科目会学得很卖力，选修过一门经济学的课，还得了相当不错的分数。

2. 有些基本的条件，首先不能太笨——我有轻微的智力歧视症；其次不能太俗气——我身上也自带着俗气探测仪，视野和目标都要大一点。除此之外，我希望他是跟我相反的人，温暖而不像我冷漠，会玩而不像我了无生趣，简单而不像我东想西想，行动力强而不像我畏葸懒惰。更奢侈的理想，就是他能改进我而不只是改变我。

3.我没想过这个问题，觉得有点早。我的性伦理基本停留在五岁女童的认知水平，觉得"婚前性行为"道义上不太好，不太干净。但从实用的角度看，还是婚前试用过比较保险，婚姻的成功率似乎也比较高。

(73)

Q 时光间谍问任何一个读书人

为什么读书人普遍比较抠门儿？我认识两个，一个从
来不坐出租车，半夜都宁可走三公里路等三十分钟坐
夜宵车，家里书倒是很多，而且都是实体店购书。另
一个更怪，从来不请客吃饭，衣服破烂得要死，衣柜
鞋柜化妆柜加起来也只是书柜的零头。他买书都是等
当当亚马逊打折，要命的是，一旦当当亚马逊折扣很
低的时候，他就疯狂购书，一个单子几千块！据说那
个送货员很讨厌他。

A 书评作者Btr答时光间谍

读书人抠门据说要追溯到唐朝诗人贾岛（779—843
年）。当时互联网还仅限于信鸽网关，快递业尚
属贵族行业，即使才华横溢如贾岛般加V的诗人，
也只能去民改非的实体书店买书。当时天气干燥，
火灾频发，工商行政消防经常联手执法，所以当贾
岛到达书店门口时，不免踌躇：若推门而入，或
显莽撞；敲门而入，又唯恐惊动附近潜伏的执法人
员。屋漏偏逢连夜雨的是，手中的iPad2又恰好没了
电——无法请教百度知道。正当他欲咆哮"进个门
都你妈那么难，有木有"之时，门上的一道微光引

起了他的注意。希望之光来自门上的一个小洞，那么小，那么隐蔽，但已足够令知识的光辉穿越。他伸出专用于挖鼻孔的小指，插入了那个洞，抠门而入。而这读书人抠门的传统，一直延续至今。

74

Q **低收入怎样问电视台女主播**

我看到一位电视台女主播在微博上这么说："你好看，那你就必须蠢，如果还聪明，就得人品差。若人品也尚可，就得事业坎坷，不然就得水性杨花婚恋不幸，要不大家会觉得这笔账轧不平。"你怎么看？相比之下你们还算好的，那些女明星就更讨厌了……

A **前上海电视台著名女主播赵若虹答低收入怎样**

亲爱的提问者，谢谢你对我微博的关注。

编辑转来你的信时我正巧刚抛掉了手头的纸白银，赢利13700元人民币。这是我迄今为止最大规模的一次"不劳而获"。跟我一起看到这封信的，还有我从前的一位主播同事，她正经历着人生中最大的一次创痛。每天她看到自己婚姻的第三者铺天盖地的广告牌，然后绕道而行去打车的时候，中外媒体的大幅版面上讨论的，只是她能从这场离婚中得到多少钱——如果你曾在中国做过点小买卖，那你一定听说过一种叫作"阴阳账"的东西。你看到的我们，是账簿里化着妆穿着体面对着镜头傻笑的A面，生活里那些跟所有人一样的渺小无奈，被草草塞进了公众看不见的B面。

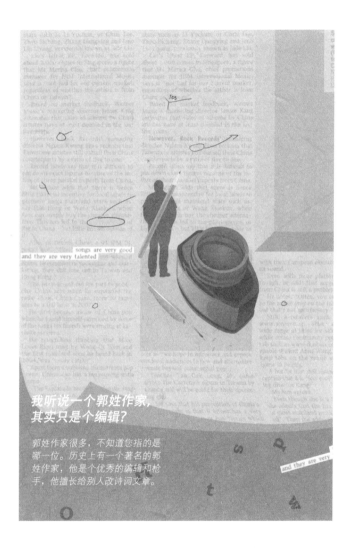

我听说一个郭姓作家，
其实只是个编辑？

郭姓作家很多，不知道您指的是
哪一位。历史上有一个著名的郭
姓作家，他是个优秀的编辑和枪
手，他擅长给别人改诗词文章。

作为一个数学不好的人，我为了躲避高考误打误撞进了播音主持专业；在苦苦找工作的时候，一点运气、一点英文和无数轮面试笔试让我成为了一个主持人。当我拿到第一个月的500块钱试用工资时，我只是一个找到了工作的应届毕业生，没有感觉比别人更高尚，也没有听说过有谁为了这份转正后每月可拿2500元的工作费尽心力潜规则哪个领导。

说句实话，我的主持人同事们对我不错。他们当中有些人非常热爱这个职业，每个月拿着一点点工资出外景、录棚、配音，不亦乐乎；有些只是想要有个稳定的工作，望着不远的、明显不会再有出镜机会的将来，忙着走穴演出、买房子、炒股票，攒生孩子的钱；当然也有些同事一心想嫁个有钱人过好日子，间或还有些不中听的传闻，对此我一向秉持孔夫子"成事不说、遂事不谏、既往不咎"的态度——怎么说呢，当生活被放在宽屏上检阅，你当然会挑剔瑕疵，但从远处看，这大概只是社会的一个横截面吧，有人的地方就有江湖，就有这些破事，与职业无关。

除了个别天赋异禀的，我认识的主持人大多只是长相好看口齿伶俐，偏巧在电视台谋了个薪水不高的差使而已。但是这差当得并不容易，长好了是花瓶，长丑了对不起观众，说多了是话痨，说少了是白痴，要是样样都合适，这个人私生活肯定也八面玲珑不是好人。最近编导们又流行找嘉宾，但凡严肃点的节目必配一个秃头专家，仿佛只有一个长得像守墓神一样的男人才能体现节目的智慧。于是对下岗的恐惧，又逼得主持人们纷纷标榜自己知性，动不动就得最爱杜拉斯只看黑泽明——其实不就是吃完饭洗完脚看个电视嘛？您到底需要多少智慧多少美貌多少人品？选领导也没见您这么认真过。

写到这时，正好看到某个节目里，一位长相欠奉的女嘉宾在暗示厚道的主持人是"只会读提词器的花瓶"。那个主持是我的挚友，写得一手好文章，被嘲弄了也只笑笑，并不辩白。其实比起我的朋友来，这位嘉宾唯一的强项是当不上花瓶，仅此而已——但是这其实不重要，套用他们成功学派的话来说，潮水涨起时你只看到人人都在高处，潮退时，你才知道谁在裸泳。

75

Q 小长毛问个影评人

我爸是个影迷，连带我也成了影迷。据我爸说，1994
年也就是我出生那年，有以下电影拍出来为我贺
岁：《阿甘正传》《肖申克的救赎》《低俗小说》
《这个杀手不太冷》《真实的谎言》《天生杀人
狂》《大话西游》《阳光灿烂的日子》《活着》。
我爸让我把这些电影都看过了，我感觉不错。请问
它们为什么这么好看？因为"好看"我也会说，你
吃批评饭，得多说点。你忙的话简单说也行，但不
能学我说好看。另外，你能再举出一些至少跟它们
一样好看的电影么？

A 著名影评人藤井树答小长毛

其实看电影是一件很私人的事，就跟吃饭、跑步一
样，每个人的体验都是很主观很个体的感受。但是
被公认为好看的电影，大致会有如下特征：具有一
种直指人心的力量，让人在观影过程中十分享受，
无比投入。你会随着剧情的展开而欲罢不能，或者
悲伤，或者开怀，或者绝望，或者惊喜，每一个镜
头都装满情感，渐渐走进你的内心，让你为之动
容，共生共息。所以电影说到底是造梦的艺术，

越好看的电影，越是逼真的梦境，所有人都沉溺其中，舍不得醒来。显然，你提到的那些电影，都符合这样的特征。它们都是公认的经典之作。

好看的电影非常之多，每个人的标准不一，我只能推荐我个人心目中的最佳。考虑到你1994年出生，今年只有17岁，那我就推荐几部关于青春与梦想的电影吧。

1.《牯岭街少年杀人事件》（中国台湾，杨德昌导演，1991）

240分钟的片长，足以使人睡过去又醒过来。可是，没有人会对着这部电影睡去，哪怕只是闭上一眼。这是一些动荡时代的青春身影，他们当中，不是每个人都有幸将青春走完。满眼望去，更多的是夭折的生命，夭折的理想，夭折的善意，夭折的单相思。然而，大家就是这么长大的，还有人会这么长大，人们似乎只会这么长大。

2.《关于莉莉周的一切》（日本，岩井俊二导演，2001）

网络少年的爱与绝望，梦想的破碎，友谊的珍贵，懵懂的爱情，激荡的青春，都在漫天遍野的绿意中发散。直到音乐会上如潮的人群中，不经意的一刀，捅进了同伴的身体，也幻灭了心中最后一丝希望。这是属于21世纪的迷惘，如空气般不可捉摸，却又足够沉重。你以为所有的一切都只是幻觉，但分明真实到令人窒息。音乐排山倒海，画面美轮美奂，结束的时候，会震撼到你简直无法动弹。

3.《戏梦巴黎》（意大利，贝纳尔多·贝托鲁奇导演，2003）

你简直不能想象，拍这部电影时，导演贝纳尔多·贝托鲁奇已经63岁高龄。但每个镜头都如此青春，好像18岁的少年一般，桀骜不驯，飞扬跋扈。影片构筑了两男一女的三角组合，他们仨因为电影相识相知，一起生活，一起追梦。以1968年法国学运为背景，属于激荡年代下的激荡人生，会看得心潮澎湃，血脉贲张，恨不能走进电影里，成为他们的一分子。

4.《十七岁的单车》（中国，王小帅导演，2001）

两个17岁的少年，生活在同一座城市，却因为不同的家庭背景，注定拥有不一样的人生。不过，尽管如此，他们追逐梦想的心情是一样的：一样渴望，一样投入，一样奋不顾身。一辆单车，牵动着两个少年的悲喜，那是生活的滋味，也是成长的代价。

5.《歪小子斯科特》（*Scott Pilgrim vs. the World*，美国，埃德加·赖特导演，2010）
这是一部堪称疯狂的电影，很21世纪，很电子游戏，很酷。打败七个邪恶男友，追到心爱的姑娘。镜头语言多元，故事一气呵成，看得眼花缭乱，荡气回肠。

> p.221

76

Q **小清新问书店老板**

我一直有一个梦想，就是开书店。虽然也听说很多爱读书的人真正拥有了自己的书店后会变得不爱读书，但无论如何没到那一天谁知道什么结果。我看过的几本关于书店的书都美好极了，《书店：我就是想开一家书店》（佩内洛普·菲兹杰拉德著）和《查令十字街84号》（海莲·汉芙著）。想问一个书店老板（曾经开过书店的也行）一些关于开书店的有趣故事，最好是文艺一些的表达。

A **原笑忘书店老板唐宋答小清新**

我当时的书店开在复旦边上的国定路上，左手边是21世纪考研书店，对面是新东方，也有专卖口语等方面的书籍。我的书店名叫笑忘书店，装着一股纯纯的文艺腔。三家店里，我是生意最差的。

其实没什么有趣的故事，都是很心酸的。要文艺说法的话，记得一天我坐在店里，写了一首诗：

国定路306号甲，就在/新东方的对面/21世纪考研书店的旁边/以前/是一家唱片行/盗版碟、打口CD和地下乐队/现在改成书店/变得不再熙熙攘攘/行人探头探脑/胆子大的，走进来/东张西望/这里什么也没有/要考研去旁边/想出国到对面/这里什么也没有/只有老唐一个人/坐在书堆里，瘦得像/一张书签/这里什么也没有，只有/一条通往蜘蛛巢的小径/一座小径分岔的花园/老唐其实不老/二十出头/身体健康没有对象/偶尔，也要上上厕所/就去对面的新东方/TOFEL GRE 新鲜尿样/通过下水道/一起送往大洋彼岸/幸运的话/连签证也免掉/老唐过马路总是慢慢吞吞/从新东方出来/觉得自己像头海龟/今后也打算办一所语言学校/只教中文/地点选在国定路306号甲。

Q **黑色药瓶问相关人士**

为什么那么多出版社和作者的官方微博要做"转发评论即可获赠书籍"这样的荒唐事？你送给人家了，人家还会去买你的书么？

A **某做过类似活动不肯透露姓名的作者答黑色药瓶**

"转发评论即可获赠书籍"的说法肯定是不切实际的，没有出版社和作者敢于做这样的活动。一般都是抽奖嘛。所谓抽奖，一百个转发，可能送出去一本呀，小笨笨。但也许一千个人看到了呢。这就是宣传吧。

猫是《圣经》里面唯一没有提到的
家养动物，为什么？

实在对不起，没问到《圣经》作者。

78

Q **按什么问摄影工作者**

我是一个摄影爱好者，但这个爱好，说到底有些心虚，我不知道方向在哪儿。能不能简单告诉我：1.摄影这门艺术的最高境界在哪儿？2.简单告诉我，什么样的照片是好照片？

（编者注：因为要简单回答，怕回答者太简单，回答方向又不能满足你的欲求，所以我们问了四个摄影师。）

A **摄影师马良答**

我觉得很多人对艺术（包括摄影）最大的误解就是把它和体育竞技等同了，认为一定有最好的某一类作品，某一个人。其实一定不是，就像你永远无法断言谁是最伟大的人。

艺术语言如此丰富，摄影方式五花八门，有无数动人的作品，不同的作者感动着不同的观众。所以也想说你别困惑，你的作品一定有人会喜欢的。而好的作品在我看来最重要的就是动人，可以打动更多的人心，让感同身受的人因这作品说出了他无法言说的话，而心存欢喜。

摄影师coca答

我们身处这个时代，好照片不在画面有多美，是画面传达的内容信息。

摄影师月亮答

最高境界我也不知道，我的理解，相机是时间的停格器，（摄影是）抓住流逝的时间里的每个值得回忆的瞬间，（好照片）是若干年后你看到这张照片会微笑的。

摄影师陆杰答

1.源于思想。犹如画家作画之前，常常成竹在胸，然后才挥毫泼墨一样。2.一手向传统，一手向生活。

Q 线条线条问书法家

平时看到写字好的人都非常羡慕，可是听说写字好跟书法又不是一回事。我看过不少书法家的作品，作为门外汉，实在不懂。我知道古代书法更是博大精深……但门道在哪儿我很迷糊啊。请问搞书法的朋友，书法和书法家以及书法的来龙去脉，到底是怎么一回事。或者告诉我一些书法八卦也可以的，哈哈，增加见识。

A 书法研究员牛大伦答线条线条

职业书法家这个称呼，其实在今天才有效，古代也有以书法闻名的人，但跟写字的关系不大的。王羲之是将军，颜真卿是鲁国公，赵孟頫和成吉思汗在一个帐篷里睡过觉的，董其昌入阁拜过相。书法家的历史，本质上就是会玩两笔的王公贵戚的历史，跟小老百姓没啥关系。

其实古代中国，只要读两天书，人人写得好字，盖一笔好字乃功名利禄的敲门砖，第一道门槛，好比你要去澳门赌博大杀四方，先要办港澳通行证。董其昌当年科举考试，那个时候他还是个穷书生，第一名的文章，给了第二名的分数，就是字不好，所以他后来才苦练书法。要说技巧熟练，再伟大的书法家也不如账房先生熟练。大书法家都是大官，每天要批公文啊，见皇上啊，审案子啊，还要管着让三姨太和四姨太不打架，写字的时间和蹲茅厕的时间差不多长。账房先生不一样，那是种在椅子上的，头顶上一根房梁，房梁上挂根绳子，绳子一头拴一个铜钱，一头绑一段墨，随写随磨，写完了一拽铜钱，墨就吊在半空中，省去了擦拭的时间。所以世间只有两种字，写的和印的一样，一种是宫廷大内的档案，皇上今天吃什么呀，跟谁睡觉呀，用了哪一个马桶，这都是翰林院的低等文职人员抄写，写得不规矩要掉脑袋，还有一种就是账房先生的账本，训练量实在太大，想不规矩都不行。

老法训练童生，考秀才的基本功就是要写仿、摹、仿两字一个意思，对着强光把前人的字迹照着描下来。邢补生先生说，他们山西有个老秀才，示范过一个绝技，找几十张薄纸，写同一个字，叠起来对阳光一照，居然像一个字一样，笔画没有一点偏移的地方，《阅微草堂笔记》里也有类似记载，就是写仿的功力了。明清两朝，凡是通过科举考上的官，这个功夫都是少不了的，因此字难看不到哪里

去，加上人地位越来越高，名声越来越大，想不做
名书家都很困难了。

根据出土的文物考证，老早，比如说汉朝唐朝，寻
常写字用的毛笔，和我们今天看到的不太一样，短
锋，锐利，细巧，近似我们今天用的圆珠笔，因为
那个时候印刷术还没成型，文章典籍都靠手抄，手
抄是按字算钱，抄慢了要饿死的是不是，那就得又
好又快，笔当然要做得精致实用。纸张也不一样，
都是不化的，上过胶水涂过蜡，光滑无比，这纸张
的书写效率最高，刷刷就得了一篇。米芾告诉皇
上，说臣书刷字，意思是我的书法是刷出来的，读
者诸君可以想象他写字的速度。

我们今天看到的生宣纸，长锋羊毫大楷笔，都是明
朝清朝，那些王公贵族，写了一辈子科举字，内行
叫馆阁，烦死了，有了叛逆之心，才特地弄出来玩
的，好比天天大鱼大肉吃腻了，弄点绿叶子菜洗洗
肠胃。清朝一个包世臣，后继者还有一个写不来字
的康有为，号召写北派，学石碑，都是写多了馆阁
弄出来的闲事儿。不想今天所谓职业书法家，拿了
人家的馊叶子当人参，本质上是穷措大，肉腥气很
少闻到的那种啊。每次见到傻瓜老师要学龄前的孩

子铺着生宣纸临欧体，笔者就伤心，欧体是这么写的么，中国文字，这是怎么了。

今天因为电脑昌盛，连笔者这篇编排书法的刻薄文章，也是靠电脑打的，惭愧。因为不练字，已经不妨碍升官发财，所以写不好字，也就不是什么大不了的缺陷，顶多升官了，在背后给人戳脊梁骨，这兔崽子还做领导呢，一笔烂字，狗爪挠出来一样，我呸。所以现在很多领导都喜欢练书法，办公桌上吊着一排便宜毛笔，也就是从善如流的境界，应该深情体恤和大大表扬才好。

80

Q **小二郎问朴树**

好久没有听到你的消息了，我想问问你：1.打算什么时候出专辑，你的新歌是什么样儿？你的音乐是我生命中不可缺少的精神食粮。2.你最近忙什么呢？对现在的自己满意么？3.你觉得幸福么？你觉得什么是幸福？

A **朴树答小二郎**

1.我不知道它们该是什么样的。事已至此，时间根本不再是问题了。2.早睡早起。等等。不满意。3.每天吃好，有零食，爱的人都在身边，有足够的时间出去玩，还有对面楼的小妞……大概是这样的。这是我们家狗的幸福，不是我的。我还不知道什么是幸福。

Q **小阿联问网络红人叫兽易小星**

不知道叫兽作为网络"通俗文化"的代表怎么看待网络"低俗文化"？他们毒害了我这一代祖国的花朵，想到下一代花朵也会被毒害我就伤心不已。叫兽有办法力挽狂澜吗？

A **叫兽易小星答小阿联**

感谢邀请，我仅代表我自己回答这个问题。

在怎么看待低俗文化这个问题上，我首先找到了某总局发言人在2010年说的一段话，他说，节目性质有明确的区分：一种是正确引领先进文化的，如《感动某国》；一种是通俗化节目，如小某阳的表演。

传播先进性知识的文化先不管，我发现，小某阳的表演作为一个具体案例，是被官方拿来作为通俗文化的标杆的，那么我现在试着用这个具体案例，来划分几种文化。

小某阳穿着大裤衩子，将其称为苏格兰裙，然后说笑话，观众们哈哈大笑。

——这是通俗文化。

小某阳穿着大裤衩子，将其称为苏格兰裙，然后撩起裙子露出腿毛说笑话，观众们窃笑不止。

——这是低俗文化。

小某阳穿着大裤衩子，将其称为苏格兰裙，然后撩起裙子露出T字内裤，俏皮地朝观众夹了夹屁股，赵某山大喊：你太有料啦！观众们连忙捂住孩子眼睛，自己却边看边嘻笑。

——这是恶俗文化。

小某阳穿着大裤衩子，将其称为苏格兰裙，然后说笑话，观众们泪如泉涌。

——这是先进文化。

之所以举这样的例子，是希望通过更直观的描述，来表达我心中对于官方定义俗文化的理解。当然官方也有一些文字上的详细解释，但毕竟你不能期望一个全世界手机黄段子创作力最强的群体来准确定义这些东西。

简单来说，我认为俗文化并不能被硬性划分优劣高低，因为这是非常主观的事情，同样的内容，在不同的国家地区、不同的年龄阅历、不同的性别肤色、不同的社会阶层中，都会得到不同的理解。

就像你认为我的短片是通俗文化，而有一年我被海南某报纸痛批恶俗，或者大家都觉得AV是通俗文化，而官方抵死不认，是一样的道理。

为什么赌场里没有钟表?

世界上大部分的赌场都没有钟。这是为了让赌徒沉浸其中,不分昼夜。

所以聪明一点的官方不会根据内容来划分文化的通俗、低俗，他们只会尽量保证未成年人不会看到不适宜他们观看的东西，也就是大家常说的分级制度。不谈高雅低俗，只说能不能看。当你是一个成年人的时候，你啥都可以看。而在有些地方，即使观众年龄超过35岁，也必须在父母陪同下观看特定内容。

当然，随着互联网的延展，分级制度也显得不那么严密，行政的大手永远跟不上时代的潮流，连韩寒都开始做移动互联终端应用程序了，你说有什么事是不能发生的，有什么内容是能完全被锁闭的？

所以安心就好，谁还不是一路看着些莫名其妙的东西长大的呢？

至于有没有办法力挽狂澜什么的……借用小某阳一句台词回答你：这个真没有。

Q **小仙问于丹**

想问于丹或者傅佩荣，古今很多人毕生研究老子、庄子、孔子中的一个，都只取得了一点点成果。为什么你们一个人能同时研究他们三个？你们难道是神？

A **于丹答小仙**

我要谢谢这位同学的关心。我要负责任地说，我对国学不叫研究，只是爱好，我的专业是研究媒体。我的爱好很庞杂，除了儒家、道家，我还热爱诗词、摇滚、武侠、朦胧诗、旅游……我想说的是，一个人年轻时候的容量比什么都重要，这决定了一个人生命的宽度，决定了你将来能够建立的格局。我喜欢的那句话"灼灼其华，绚烂之极归于平淡"，说的其实就是现在你的涉猎越广，就越能给你的未来无限可能性。从这个角度讲，我对国学只是抱有感兴趣的态度，而不是研究。我的那些书也是我对国学的一心所得，是个人语境的东西。我一向是无目的成长，但这种无目的反而让我邂逅很多惊喜，是原来意想不到的。所以我也希望年轻人要更广阔地涉猎，充满好奇心，这样才能促进你的格局的建立。

(83)

Q **幸福的火星问网友尘嚣**

为什么电影《洛丽塔》的中文名字会翻译成"一树梨花压海棠"?

A **尘嚣答幸福的火星**

呃,你真是一棵纯情的山楂树啊!我可以告诉你的有两点。

1.这句诗是苏东坡同学嘲笑他的好朋友张先的,据说张先在80岁时娶了一个18岁的小妾,苏东坡就调侃道:"十八新娘八十郎,苍苍白发对红妆。鸳鸯被里成双夜,一树梨花压海棠。"

2.男人都爱小萝莉。看看Kick Ass有多火就知道了。我的老公,我的闺蜜A的老公和闺蜜B的老公都想要生女儿,我的闺蜜C的老公说,生了女儿,什么都不用孩子她妈管,只恨自己不能喂奶。有时候我路过幼儿园,看到里面的小萝莉们天真烂漫的样子,就会忍不住想,哎,这当中没准儿就有以后我们家的小三呢。男人们真的应该对纳博科夫千恩万谢,是他创造了萝莉,并且把男人对萝莉的爱欲写得让人嗖嗖地心动。其实也没什么,我也很哈那些胡子还没有变硬的少年呢!

(84)

Q **不知我心问高晓松**

过去，同学们唱的是《睡在我上铺的兄弟》，那么现在呢？难道是"睡了我上铺的兄弟"？

A **高晓松答不知我心**

男生唱"睡了我上铺的兄弟"，女生唱"睡在我上面的兄弟"。

85

Q **田松问石康**

我一直沉浸在你所描述的《晃晃悠悠》《一塌糊涂》《支离破碎》的人生中，不能自拔。请问如何才能走出来？

A **石康答田松**

物理学家研究过混沌问题，也就是一个系统内部的稳定问题，得出结论，在一个开放的系统内，有一点点扰动便可导致不可知的后果，这结论让我相信，稳定系统需要一种动态的维持。

广义进化论者也有一个观点，认为可从混沌中发展出一种有序，但新的有序是在旧的混沌基础上产生的，它仍会有一个趋向，会被某种扰动破坏，且在更高层次上形成新的更复杂的动态稳定系统。他们的信念是基于一种被称为系统论的方法，通过对我们可观察到的宇宙的研究，他们认为生命现象是在物质现象中诞生的一种新的稳定的物质形式，它比一般物质形式更为高级，同时，也更为复杂。

我相信广义进化论者的观点，即使从中庸的观点讲，我也认为我们的中庸只能是动态的，当我们的情绪在正面与负面两方面波动，且总量大致相当时，我们才能被称为中庸的。

我还相信，就某一个具体的个人来讲，把我们的情绪取一个平均值后，与其他人作对照，仍会有些人是偏向负面的，另一些人是偏向正面的，而人生的目标之一，就是设法提高我们的情绪值，使它偏向正面。当然，情绪在这里是举例，我认为我们的智慧便是那样一种方法，它可以以某种方式提高我们的意识状态，我们的体力可以通过训练增加，我们的智力水平能通过练习提高，我们的敏感度也可以增强，我们集中注意力的时间也可延长，我们的改错能力也会提升，当然，我们的压力也会增大，我们崩溃的危险也会增加。

不过，人生就是冒险，不想冒险的人生像是认同物质的人生，物质的变化很缓慢，变化规律相对来讲也简单，看起来较为永恒。而生命呢，我以为我们成为生命，特别是人类生命，是非常幸运的，我们要追求物质状态在死后完全可以。

我非常感兴趣的一件事情便是，生命这种看来那么脆弱的存在形式还能走多远？若是能看到人类社会的进化方向，那真是一件赏心乐事，就如同听一个超级冒险故事。既然整个人类都在宇宙里冒险，那

么我作为一个人类个体，当然得从本质上同意这种
冒险，并认为这种冒险是有意义的。

以往的宗教以及哲学为这种冒险生产了多种意义，
我曾为寻求那些意义看了很多书，但那些意义往往
太过宽广，很难贴切地符合自己。所以我认为，自
己的意义还得自己寻求，而寻求或创造属于自己的
价值与意义，正是我们的生活本质之一。

事实上，我现在更为同意进化论者，我觉得面对人
生，与其防守，不如进攻，等待着别人为我们提
供意义及价值上的安全感，不如自己去追寻——拿
人生去冒险更为合理，就像与其我们等待一个爱人
找我们，不如我们主动去找他们。被追求的苦恼在
于，追求我们的人，多半不是我们所愿意的，我们
可以去追求我们认为理想的人。我总觉得坐等一切
来临更像植物。

说到拿人生冒险，我东看西看，还真看到两样合手
的东西可利用，那就是我们的体力与智力，它们
仿佛专门为此而设，也是我们生而为人的基础。为
此，磨炼它们有助于我们自我提升，至少使我们提
升的概率高于不磨炼；特别是，当这样东西更为好
使时，我们意识状态便会自然地高于从前，我们的

视野会更为宽广，我们的行动会更具有意义，我们
最终会学到一种智慧，把我们的所有的能量聚集到
一点，用以战胜某种束缚与限制——这便是我所认
为的自由的意义。

而自由必须是有目标的自由，不然的话，我们便很容
易感到厌倦。

Q 吴山小脚虾问专业人士
每次看到电视里拍卖，举牌子的人各种豪迈，还经常看到两人死咬着斗气，导致成交价很高，想必拍中了也很容易后悔。问一下，要是会后不想要了怎么办？

A 从事艺术品投资行业的Nicole答吴山小脚虾
通常在规模比较大的拍卖会上，每个有资格进去举牌的都得交个一百万左右的保证金，要是不想要了，扣保证金呗，所以就不存在屌丝凑热闹的情况。当然如果真的是特别有头有脸的大收藏家，拍卖行念及你的购买力和购买案例，是可以跟你协商的。另外，两人死咬着叫价的情况也不排除其中有一个是"托"的嫌疑。毕竟，冤大头，这在各行各业里都是有的，但是这种情况还是比较少的。

Q **黑夜精灵问悬疑作家**
写悬疑小说的怕不怕看鬼片?

A **悬疑作家那多答**
不怕。其实我青春期以后就没再看鬼片了,和是否写悬疑小说无关,大概和肥肉吃多了会腻是一个道理吧。悬疑小说写多了,讲鬼故事的本事见长,但会不太愿意去碰一些真实度比较高的灵异传闻,不愿把它们写进小说里去。只写过一件,那事情离现在已经过了一百年,我想大概即便有冤魂诅咒的话,也没那么容易找到我头上来吧。

悬疑作家蔡骏答
反正我是不害怕鬼片的,以前最早看的时候有个别怕过,现在几乎任何一部鬼片都吓不到我了,一来是我也不相信鬼,二来是我可以预测大部分的桥段,三来我都是抱着故事分析的角度看片,因此就少了许多乐趣。

> Q^69 延伸阅读

以真爱的名义 ／ 周二

　　小S和蔡康永在节目里大谈《月蚀》的时候，我再次认识到GDP决定时差这件事，因为当时深圳的电影院不过才刚刚映毕《暮光》而已，乃至《月蚀》听上去简直就像一个传说。或许是出于羞愧，电影院并没有把它安置在设施较好的厅放映；久违的水泥地板、硬板凳，扶手上连放饮料的孔都没有，俨然就是个录像厅。这使得帅得天怒人怨的吸血鬼，顶着也分不清是出于对血或者其他欲求不满的面孔晃来晃去的画面，格外有一种聚众私下观看隐秘黄色录像带的怀旧。以至于当F4吸血鬼脱掉上衣展示过坚如磐石的腹肌，却只不过是纯洁地躺在草地上，两小无猜地聊天的前戏，不免令受骗后的恼羞成怒doubled。天生妖孽的吸血鬼居然要主动禁欲，这分明才是"史上最纯情"的电影，和它相比，《山楂树之恋》都显得肉欲横流。最爱COSPLAY吸血鬼的SM派集体观摩学习的时候恐怕是要抱头痛哭的，并鸣呼着违背"疼痛和恐惧是距离快感最短的直线"这一科学是件多么不道德的事情。

　　原本以为《暮光》的琼瑶阿姨附身只是个意外，但随后又出了美剧版《吸血鬼日记》，同样不和谐的事情又再次发生。后者的中心思想仍旧围绕

上床与反上床，勾引与反勾引，吸血鬼美少年们与
他们由欲望诞生出的物种身份显得极为不相配，尽
管他们的存在前提几乎每样都和性的表征符合——
隐秘、潮湿、贪婪，但却总是能在最后关头，充当
身体控制中更有理性的那一方。难道这恰恰正是吸
血鬼高功能反人性体质的证明？该体质除了用于和
妖怪打架，唯一实用的功能就只剩下因为不用睡觉
于是便于天天夜里潜入人类女生的卧室，看她们睡
觉。当然该行为的主体如果是女生喜欢的男生，比
如罗伯特·帕丁森，也可以叫作罗曼蒂克，其实不
是一定就非得叫作偷窥或变态的。

　　但纯情其实是比纵欲更需要技巧的高难度项目。
《月蚀》中狼人男小三的设置原本是被认为不合情
理的，无论狼人还是人狼，凭什么和吸血鬼抢女
人？吸血鬼有钱，有派头，会装B，会拗造型。相比
之下，狼人兄弟们很朴实，很生活，就像《士兵突
击》里的王宝强。简单地说，你是想和杨过上床还
是和郭靖上床？不过，如果是被阉割了的杨过，那
又要另当别论了。女主角一脸坚贞地和狼人劈腿，
无非就是嫌正牌情人老也不和她上床，于是出现居
然愿意强暴她的对象，不免要从身体开始动摇。青

春派吸血鬼到底不够老辣，他们不了解人类对纯情的热爱其实是有限的，如果你无法确保自己真的能控制住纯情的上限，那还不如直接纵欲来得长久。

新生代吸血鬼和他们的人类女友们还巩固了另一个观点，即《猫》中所说："女人品评男子，仅仅以他对她的待遇为依归。女人会说：'我不相信那人是凶手——他从来也没有谋杀过我！'"是的，无论吸血鬼咬死了多少路人，但那是为了能更长久地爱一个人的必需过程。这也是为什么同样都是异类，僵尸总是不讨喜，除了他们不够美貌富贵，也因为僵尸才是坚定的批判社会主义者，他们从不爱任何人。如同《暮光之城》原作小说里的一句台词："最初，爱德华不过是想吃了她，但，他终于还是令人沮丧地意识到他的感觉实际上是真爱。"当你无法分辨欲望究竟是哪一种的时候，选择真爱，只不过是名义上要高尚些。

双方的传奇
—— 读《查令十字街84号》／王小毛 [>] *Q⁷⁶* 延伸阅读

　　"你们若恰好路经查令十字街84号，请代我献上一吻，我亏欠她良多……"

　　爱和遗憾，海莲·汉芙对查令十字街84号"马克斯与科恩书店"的所有感情就在这一句话之中。

　　一生都穷困潦倒的美国剧作家海莲·汉芙女士那时候住在纽约，只能买到"要么昂贵，要么邋遢"的书。一天她偶然地看到了一则旧书店的广告，抱着试试看的心情给那家书店写去了一封信……缘分就是这样来的。一开始只是在谈业务，回信的是马克斯与科恩书店的经理弗兰克·德尔，他非常礼貌，也很尽责，为他书店的越洋客户找到了好几本需要的书。海莲·汉芙欣喜之余也表现得够调皮，当对方第一次在信中称她为"夫人"时，她特别强调："我希望在你们那边，'夫人'跟我们这边指的是两码事。"她的确机灵又不乏幽默感，而且好善乐施——她给书店寄去好几次火腿和鸡蛋，尽管自己也不怎么好过——因此马上得到了弗兰克·德尔和全体书店员工的好感。那时候英国人日子特别难过，连丝袜都是奢侈品，让海莲·汉芙这个美国人都不得不在信中责怪一下美国政府只顾着照顾战后的日本和德国而忘记一直以来帮助他们的盟友。

　　书店的人也很淳朴而可爱，真性情，乐观豁达——至少在他们给海莲·汉芙的信中是这样，也可能是英国人惯有的礼仪。不管怎么说，那些书店的员工包括弗兰克·德尔的妻子、女儿，还有刺绣的老太太，给我的印象有点类似我听说的新中国刚解放那一阵不用关门就能踏实睡觉的中国人——我们的父辈。是否苦难让人更加善良？这些形象统统作为两位主角的交往背景，长时间地为事情最后的哀怨气氛预热。

　　看过没几封信之后，我不再关注书中提到的作家和那些书籍珍本，而是在看"人情"。这时候信里面书籍的买卖看上去更像是附带的功能（的确如此，书店经理已经不再将这些信按照书店的制度存档了），海莲在信中经常提到生活中的困难和喜悦，甚至对弗兰克·德尔这样写道："这个世界上了解我的人只剩你一个了。"即便是拘谨的英国绅士，也不再吝啬嘘寒问暖之词——为海莲在生活中的顺利和不幸而表现的喜怒哀乐。弗兰克·德尔的妻子最后不得不对海莲承认她对他们通信的妒嫉，当然是在弗兰克死后。

　　尽管那封带有讣告性质的信是由从未与海莲有过

联系的书店秘书所写，弗兰克的死却实在是所有通信和本书的高潮。通信二十年一直互相期待的海莲的英国之行从未实践，因而两人从未相见，尤其是前一封信弗兰克还表示"手脚还灵光"……读到这里我们不得不去体恤海莲拿到信时的心境……书中没有给我们描绘出来，我却已经激动了。

这是爱书人和售书者双方的传奇，也是双方的幸运。说它是传奇是因为那个时代已经过去了，这样的事情不会再发生。不光是通信手段的更新，还有人情的日渐稀缺。译者陈建铭先生在自序中就已经提到，旷日费时投递的书信那种人情魔力不是快捷的即时聊天工具和电子邮件可以替代的。那个因为等待而美好的时代已经远去，而且一旦失去便永不再来；说是双方的幸运不光是说双方能处于那个时代，也是指遇到了如此友善和知心的人。当然还有第三方的幸运——我们能通过幸运得到《查令十字街84号》这样的书籍，在夜晚翻看，通过想象出那些事情的具体情景聊以自慰。

p 224- p 269

本章节问答更倾向于

例句："暧昧是什么？"

恋 情感 生理

采写：猫力 等

Chapter 5

接吻意味着什么?

每次接吻意味着消耗12卡热量,
相当于慢跑一公里。

(88)

Q **小粉猪问李银河**

现在大学里"关系特别好"的同性朋友似乎比较普遍，而实际上大多数人是不能很准确判别这些个情感的。如果缺乏对同性恋的认识，不仅同性恋群体会受到伤害，不具有同性恋情感的同性似乎也很容易受到伤害。如果同性恋基础知识教育能在大学教育里有所涉及的话，是不是可以避免一些悲剧性的事情发生？

A **女社会学家李银河答小粉猪**

美国著名学者阿尔弗雷德·金西在1948年出版的《人类男性性行为》（也就是人们常说的《金西报告》）一书中有个数据，37%的受访白人男性有过同性间的肉体接触，但终身同性恋者的比例只有4%。那中间的33%实际上就处于这种模糊地带。

青春期的确会产生这种比兄弟情谊或姐妹情谊更密切的关系，这些关系中的双方有的可能是双性恋者，也有只是青春期懵懂、对自己的性取向并不清楚的人，但最终并不一定都会发展成同性恋。而如果一个同性恋少年爱上了一个其实是异性恋的少年，这当中就一定会有伤害发生。在中学的性教育中，的确应当加上同性恋教育，让大家知道这个世界上有几种性倾向的人，去了解自己的身体，自己去体验和发现自己真正的性倾向。尽早发现你的性倾向，才能更好地避免痛苦、伤害和挫折。

(89)

Q **资深非文青问学者熊培云**

最开始看到你的名字以及文章的时候，我对你充满了崇敬，你谈论的话题、思维的冷静和理性让我以为是个大叔呢！后来我发现，你是1973年生的！只比我大了三岁而已。于是，我对你有了非分之想。我想知道，像你这样的学者型男青年，会喜欢什么样的女孩儿？如果你的女朋友对你的《重新发现社会》《思想国》完全不感冒，可以吗？

A **熊培云答资深非文青**

首先要看得舒服，是吧？两人在一起都能感到轻松、愉悦，有智性的交流，有共同的价值观。如果我喜欢她呢，不会要求她喜欢我身体内外的所有零部件，所以对我那几本书不感冒也没关系，我又没说是写给她的——更何况，生命长远，我一直觉得自己的写作还没有真正开始。当然，如果是我给她写的情书，结集成书了，我倒是希望她喜欢。可惜啊，我好像也没有写过情书，收到的也不够出一本书。

Q mani问老公的小三一点小闷骚

开头我就不必向你问好了，但是我要告诉你，其实我一直知道你的存在，而我在我老公Sam面前假扮不知情。我今天不想责备你什么，我是想问问你，若你的老公在外面有了其他女人你会怎么办？

A 一点小闷骚答mani

m姐你好，开头我还是要向你友好地问候一下。我觉得老公会变心，一定是老婆的问题。当然如果换成我，老公出去找女人而且还费尽心思瞒着我，那我也一定不会揭穿，因为这表示他还是爱我的。可见你我都是聪明的女人，不是么？所以我的观点是，宁教人打仔，莫教人分妻。我常对Sam说，你想对你老婆好的话，就一定别让她知道我们之间的事情。可惜你还是知道了。所以我想反问你，若你老公想和外面的女人生一个小孩而不是和你，你要怎么办呢？

(91)

Q **冷暖自知的猫问彭浩翔**

我是你的影迷，你的片子《破事儿》中女主人公因为被男友逼迫用嘴做爱最后噎死的小故事《做节》，对我影响非常大。我一直不喜欢用口帮男朋友做，我有一个信教的好友，反对婚前性行为，但又心甘情愿为男友用嘴，难道这就不违背上帝的旨意？如果你能告诉我为什么男人那么热衷于用口那就更好了。

A **彭浩翔答冷暖自知的猫**

对于你的烦恼，我深表同情，当然也更同情你的男朋友哟。对我来说，口交要比正常性行为更亲密，但我明白确实有人认为口交并不算性行为。引用国际案例的话，就有克林顿和莱温斯基的先例可循，说明了口交不算性行为，所以你那教徒朋友仍能坚持她的信仰。当然，我认为这是对"十诫"的擦边球，"出口术"。不过这也没关系，反正她自己过得了良心关就好。

而关于男人为什么会热衷于用口一事，我认为主要是因为男性除了重视肉体的刺激外，视觉刺激也很重要，当看到女生俯在自己两胯之间专心地为自己服务，就会有种征服的快感。但我认为大原则是，不能勉强别人，有些女人愿意接受，甚至爱好此道；有些并不热衷，但也可接受，希望对方舒服，因此她们在付出时，不会有什么挣扎。

你抚心自问，要是真的无法接受，就要清楚告诉人家，没必要勉强自己。但我认为每个人的界线，可能都会因对手而异，今天你不愿意，可能只是因为你找不到一个你愿意的人，要是有一个你真心爱的人，你甚至可能不会去思考这个问题，因为对你来说，找到对的人，什么问题都不再存在了。不过在此之前，无须勉强自己。

各国初夜年龄

15^岁 冰岛15.6
德国15.9

16^岁 丹麦16.1　　新西兰16.4　　芬兰16.6
瑞士16.1　　奥地利16.5　　荷兰16.6

澳大利亚16.8　　葡萄牙16.9
保加利亚16.9　　美国16.9

17^岁 加拿大17.0　　智利17.2　　法国17.2
比利时17.2　　捷克17.2　　日本17.2

塞黑17.6　　斯洛伐尼亚17.8
波兰17.7　　克罗地亚17.3

18^岁 泰国18.0　　中国大陆18.3
意大利18.1　　新加坡18.4

中国香港18.6
中国台湾18.9

19^岁 马来西亚19.0
印尼19.1

92

Q Y先生问围脖的性心理民间专家琦殿

你说女人是不是都姓高？我前女友佯装由于我不能给她高潮和我分了手，实际上她是爱名牌更甚于我。现任女人也经常用失望的眼神说我不能给她这个玩意，我只能回忆起多年前给予初恋女友高潮的片花来安慰自己。

A 琦殿答Y先生

亲爱的燕公子曾经说过："我算是发现了，想要泡一个男人，你就要愁眉苦脸地说，我从来没有过高潮。想要甩掉一个男人，你就要正义凛然地说，我从来没有过高潮。"可见女性的高潮，对于男人有着多大的影响力。那么我问你，你觉得高潮是检验一个女人性生活质量的标准吗？还是说，女人的高潮是检验男人性生活质量的标准？女人的那两三秒战栗，真的能带给你们这么大的满足感？这是你们脆弱自尊心的体现哪，还是强烈征服欲的表达呢？或许说，真的是因为爱她就要让她high？你能带给你初恋高潮，你们不还是分手了吗？你不能带给你前任高潮，而你们分手的原因也并不是这个啊。另外，你确定你确实能带给你初恋高潮？不是她兴之所至一个伪装就流芳百世地影响了你下半辈子的性爱观吗？

好了，我可能吓到你了。我想说的是，高潮可能对女人很重要，但高潮真的没你们男人想象的那么重要，并且，不要把高潮神秘化神圣化神经病化神神叨叨化嘛，过犹不及，难道你想要女朋友为了应付你不停"高潮了没"的盘问而一次次伪装么？

何况女性是感觉动物，大多数时候她们衡量自己性生活质量的标准根本不是有无高潮，而是感觉是否到位。

就拿我自己来说，我需要被男性引领着去进行一些经历，感受一个个美好的瞬间、难得的瞬间、温情的瞬间、伤感的瞬间、骚包的瞬间、色情的瞬间、臭不要脸的瞬间等，这种种组成一种被爱被呵护的感觉，你得到这种感觉才能得到女人的心。

我看了一个调查，总能在性交中达到高潮的姑娘只有10%，而三分之一的姑娘难于达到性高潮或者从未达到性高潮，另外，很多女性在生育之后才体会到性高潮的滋味。你看，这跟性伴侣或者自身体质，都并没有百分百的联系，所以不要把没高潮责任都归结于自己，也别全推到姑娘身上。你们是在做

"爱"，不是在做"高潮"，达成这种共识，然后在双方平等的前提下，进行交流和探讨，寻求更美好的性生活体验。

据说，女人单次的高潮时间平均只有1.7秒钟，按从20岁开始每周有1次性生活，一直到60岁，女性一生中的性高潮总时长也只有一小时左右。所以说，看，生活如此美妙，何必成天要搞，与其执著高潮，不如做足全套。

(93)

Q **肥庞问专栏作家连岳**

你回了那么多的信，好像对爱情都看得透彻了，而且每次回答别人问题都会引出某些典故或者小故事。请问你家里是不是有一本神秘的爱情宝典，可以方便你每次回信的时候查阅呢？如果真的有，要怎样才能拿到呢？我也很想写情感专栏谋生啊。

A **连岳答肥庞**

写专栏是我的职业，当然得写得让别人喜欢看。我也一直认为，爱不仅仅是在爱情中才有用，正如血不仅仅是只存于心脏，爱其实渗透至人的每一层面，所以，一切都可以用来佐证爱。

Q 3木3问好朋友挤不出牙膏

你对和老公以外的异性的性爱感兴趣么?

A 挤不出牙膏答3木3

其实也会想知道是不是不一样。但,以老娘这救生圈身材,不确定对方爱自己,哪敢裸体。所以我单身的时候也没有搞过419的真正原因,其实是身材烂,而身材烂的原因是,我实在太贪吃了。所以,守身如玉不是因为我忠贞,而是因为贪吃。

95

Q **莎莎想问自己的男朋友顾某**

为什么我每天晚上做梦都梦到你出轨呢？前天梦到你和我不认识的一个美女在电影院暧昧被我抓到，昨天居然被我梦到你和我闺蜜搞地下情，你真是太过分了！你知道这对我的伤害有多大么？

A **顾某答莎莎**

苍天啊，大地啊！为什么我要为我自己在你梦里的行为负责呢？为什么你不在梦里杀死我？这样多干脆。

Q **新婚的金错刀问107岁的奶奶的奶奶**

奶奶奶奶，我结婚啦，你要对我说些什么？

A **奶奶的奶奶答金错刀**

记住，老婆就是妹妹，妹妹就是老婆。有时，你对她得像对老婆；有时，你对她得像对妹妹。

97

Q **张大跃想问Zita**

亲爱的Z小姐，对你来说我也许和你只有一面之缘，但是从望到你的第一眼开始我就觉得你就是我这二十几年以来一直在等待的姑娘，后来我在网上找了你的博客，看了你的文字后更确定你就是我要的那个可以陪我走下半辈子的人。请问你能否给我一个机会做你的男朋友？或者，你能不能告诉我怎样才能追到你呢？

A **Zita答张大跃**

我暂时没有办法让你做我的男朋友，因为我根本不认识你。

然后你问我怎样才能追到我，这个问题不好说，但是我可以说说我喜欢过怎样的男孩子吧。我的初恋是在我高中的时候，那个时候我暗恋一个坐在我前排的男生，因为他转笔特别厉害，每次上课他可以从第一秒开始一直转到最后一秒，后来我们每次谈恋爱都会去图书馆，因为在那里我就可以面对着他，坐着看他一直转笔。我的第二个男朋友是在大学的时候认识的，我喜欢他是因为他《太鼓达人》玩得非常好，和他分手后我有一段时间非常喜欢吃泡菜，所以就喜欢上了一个韩国人，因为每次接吻的时候他的身体里就有一种浓浓的泡菜味弥漫在我的周围。他的衣服，他的包包，连他的床上都有一股挥之不去的泡菜味，这应该是我喜欢他的原因吧。后来我爱上了一个诗人，虽然他很穷，没钱给我买衣服，没钱请我吃饭，但是他会写诗，他会告诉我天上的星星是流浪猫的眼睛。再后来我喜欢过一个DJ，因为他可以一边听马三立的相声一边打碟。在我看来，我喜欢的男生们虽然没有财富、地位、权力和样貌，但是他们对我来说都是最特别的。你有一技之长么？如果有的话你可以参加《中国达人秀》，也许我会在电视上看到你表演用鼻子吃意大利面而爱上你吧。

幸福是什么?

尼采说，男人的幸福是"我要"，
女人的幸福是"他要"。

Q **钱伯斯问苍井空**

我爱你的一切，为了你我学会了如何翻墙去follow你的一切。还记得第一次你来上海做show，当你双手挤压自己胸部时，你就是光就是电。从此以后你不再是我硬盘里的.rmvb，我疯狂地迷恋你，follow你在围脖上的一举一动。我爱你，我没有更多的奢望，请问你能与我共进一次晚餐吗？我没有什么钱，我家楼下的烤串味道还是不错的！要试试吗？

A **本书编辑答钱伯斯**

该读者在苍井空新浪微博留言后一直没得到回复。某位网友198475回复说："从字里行间看，这位肯定是我们的学生读者朋友，没钱没关系啊，苍老师就算你有钱下得了川菜馆，她也是决计不会和你共进晚餐的。我的建议是，你带着苍老师的图片去地方上的精子捐献中心，把爱化为人民币，你这一次爱的奉献，最高可以获得3600元补助，刚好够买上一个16GB的iPad mini！不要感谢我！我们都是过来人！"

Q **云天青问有心人**

我想为我女朋友设计一款手表，打算求婚时候送给她，可惜没有能跟她走到一起，希望你们能完成我这个心愿，把它制作出来。这款情侣手表的设计很简单，男士的手表只有一个时针，女士的手表只有一个分针，如果想要看到准确的时间就必须两个人在一起，如果情侣分开，就看不了时间了。现在我想把这款手表设计出来，制作一批，成为年轻情侣们中流行的一款手表。但是我个人没有能力去制作，希望有心人能帮我实现这个梦想。

A **本书编辑答云天青**

云天青同学，鉴于我们目前还没有能力成立手表厂，所以，我们先把你的问题在此刊登出来，看看是否有人对此感兴趣，如何？

Q 无聊的影子问情感大师

我和女朋友认识六个多月，她对我死心塌地，说见我第一次就想嫁给我，我觉得和她也蛮聊得来。我们马上就要去见双方家长了，见了家长，结婚估计就是板上钉钉的事了。但其实我目前的想法是，保持每周末约会的频率就挺好，还没有想要天天生活在一起的强烈愿望。但是我也不知道该怎么对她表达我的心思。她好像一门心思奔着结婚去了，我不太擅长否决别人。我最介意的就是，她的身材不够凹凸有致（我是天秤座，外貌协会的），但她本人又不是特别瘦的类型，所以看起来总觉得不太协调，有时候带出去都觉得有点丢脸。和她的性生活也比较普通和平淡，怎么说呢，就是只能满足下男人的温饱需求吧。你说我该怎么办？

A 非主流情感修理工、FHM台湾版前主编到尾答无聊的影子

你说，我们晚一点结婚吧？因为你的事业还不稳定，你想给她一个舒服靠谱的生活，所以晚点结吧。你女友听了简直乐得开爆了花，这么好的男人往哪儿找？

要找理由还不会吗？你在心里说。过几天，要拼事业的你，告诉她晚上要加班，但是你其实是去夜店加班。在那儿，你遇到了一个绝色美女，身材曲线曼妙，本人也特别瘦，这样看来胸就更大了，可是怪了，看来又十分协调，简直就是上帝的杰作，你赞叹着，带出去肯定让你脸上贴金走路有风。没几下工夫，你果然把她带出去了，还带回家去——加大夜班。

搞上床之后，你更是由衷地赞叹着，如此刺激的生活，要是以后没有了该怎么办啊啊啊啊？和她比起来，你那个女友简直连她的小拇指都不如。第一次，你正式又认真地开始考虑怎么和太平公主分手。但你是一个善良的，不善于否决别人的人。要做这个决定对你而言十分痛苦。你迟迟下不了决心。没关系，有人会帮你下决心的。

两个礼拜之后的某夜，你又在加班了。这次是在一个很有气氛的地方，不过人不多。人不多挺好的，因为你可以和你那位女神干想干的事。可是，裤子还没脱，你的手就被砍了。正确地说，是两只手指被人给卸下来了。

"妈的，敢碰我女人！"不知从哪儿冒出一个染着金毛的汉子，拿着刀，恶声恶气。一切都不用解释了。女神吓得不知如何是好，哦，她现在也不是女神了，就是株见风转舵的墙头红杏。

还是太平公主送你去的医院。你并不准备对她从实招来，因为你忽然怕她离开你，这才是你要的女人，踏实，就像她的平胸一样。现在再看她的飞机场，又觉得十分协调，比那些乱七八糟的女人要协调多了。甚至于，这样的平淡的性生活也很好。"爱情总是要归于平淡的，不是吗？"你下了这样一个结论。在她的照顾之下，你康复了（不过还是少了两根手指）。你费尽心思向她求婚，她却拒绝了。"我后来想清楚了，我和你在一起，只是因为你的手长得很修长，很好看，像我的初恋情人。"她接着道，"而当我看到你的手现在变成那样，我突然不知道我为什么爱你了。对不起——"

也不知道是真是假。但可以确定的是，她是一个善于否决别人的人，不像你。

(101)

Q *花莲小米酒问圈里人*

美剧《摩登家庭》里提到："直男和gay都是男人，拉拉和直女都是女人，拉拉和直男都喜欢女人，gay和直女都喜欢男人，而gay和拉拉则毫无交集，无法做朋友。"而我身边好像真的只有gay圈和拉拉圈，我想知道他们平时都在一起玩吗？

A **喜欢戴眼镜肌肉型男的X先生答花莲小米酒**

说gay和拉拉不能做朋友根本是无稽之谈嘛。我有很多拉拉朋友，交朋友又不是看她的性取向，而是看人好不好玩。刚好gay跟拉拉这两个群体里有特别多好玩的人，所以我觉得成为朋友绝对是有可能的，而且可能性很大！热衷排斥他人的应该都是一些很"作"的gay吧（以及很傲娇的拉拉）。像《摩登家庭》里的那对gay伴侣，性格可以算是非常"经典"，自己怪癖很多却又有很多不能忍受的事。现实生活里就没那么夸张。根据我的观察，这种"相斥"的想法应该集中在"0"和"P"身上，而"1"和"T"就没有这种太戏剧化的考量。

不过说实在的，"T"的笑点和幽默感简直和直男在同一个档次，这点在我们gay圈就很难理解了，要相处起来也有点困难。另外，我周遭也有很多朋友明明自己是gay却又很看不惯一些性别不明（男的像女的，女的像男的）的人，尤其看不惯中性装扮的女生，要让他们跟这些拉拉当朋友的确是强人所难，因为他们根本从来就没有接受过拉拉这个族群。

Q **小板牙问网友**
我觉得父母那一辈多数是靠相亲认识，差不多就结婚了。从来没觉得他们之间有爱，好像他们也不在乎。想问一下，你觉得自己的父母之间有爱吗？

A **东北妮子答**
我觉得有。我曾经在我家衣柜里无意中看到一张明信片，是我爸给我妈的，上面抄着一首《红豆》："红豆生南国，春来发几枝？愿君多采撷，此物最相思。"

三根毛答
我觉得我的父母之间没有爱，他们吵架的时候总说："要不是因为孩子，早就不和你过了。"

小虎子答
我爸生重病的时候，我妈把所有的活儿都揽下来，除了到田里干活还出外打工，经常坐三个小时的车去市区买药。过年的时候我给我爸买衣服，他偷偷和我说，你别给我买，给你妈多买几件，让她穿好点儿。没听过父母说一个爱字，村里人觉得不好意思，但这不就是爱吗？

Q **一个好奇的猫问**

想要一位空姐现身说法，你们在飞机上是怎么被男人"勾搭"的？

A **某航空公司空姐静子答一个好奇的猫**

作为一名空姐，我在飞机上常常会遇到男人想要勾搭我。最常见的方式是塞名片，每个月会有几百张名片，当然如果名片上的头衔和职位够吸引人的话一定会有空姐打电话主动联系。我就看过休息的时候我的同事拿着一叠名片在那里打电话约吃饭，但是我会想如果一个男人会塞名片给你也就等同于他会塞给其他人，所以我从来没理过这些人。还有一些男人会偷偷记住我们的名字然后找航空公司的朋友来要我们的电话号码，但这些方式我见多了，也从来不相信这种飞机上的相识。

我的男朋友也是我的乘客之一，我认识他完全是一个巧合，我相信缘分，所以觉得这是命中注定的安排。他说他在坐飞机的时候已经留意到我，偷偷记下了我的名字，巧的是某次他在围脖上看到朋友转发了我的照片于是加了我围脖，那个时候他一直给我围脖留言，但我没有理他。加了围脖三个月后的

1/4 男人嘿咻会需要关灯

7m 30s 是人类平均嘿咻的时长

3% 的女人在嘿咻时，
会想着第二天的家务

1800s 是猪获得一次性高潮的时长，
而男人，只有短短几秒

某一天，我在来福士商场被人偷了钱包，于是发围脖求助朋友，没想到他就在来福士附近开会，他迅速赶到我身边帮我。那天以后，我觉得他是一个非常好的人，对我也是真心的，在相处不久后我们在一起了。

(104)

Q **「一个」工作室问新浪微博网友@佳佳不佳**

看到你在微博里说"因为「一个」，我和女友结束暧昧试探，现在她成为了我的'老婆'"。对此我们很好奇，请问你和你女友是如何结束试探的呢？要知道，「一个」自推出以来，下载用户已有200多万，而促成的情侣，你们还是第一对，所以恭喜你们！同时，也感谢你们用真爱证明："有情人，愿眷属，看「一个」，就牵手。"事实上，我们「一个」工作室，从来没有掩饰过想进军婚介业的雄心。

A **@佳佳不佳答「一个」工作室**

我和我女友认识了很久，但什么时候开始暧昧？恐怕我们自己都说不太清楚。我和她生在同一个小城却在不同的城市上大学，我在南京，她在大连。记得有一回，她说想写信可不知道写给谁，我就说写给我吧。写信给对方是一件很快乐的事。在文字的交流里我们找到了很多惊喜。比如，我们都爱好文艺，哪怕在别人看来是很矫情的伪文艺。后来除了写信，我们还很喜欢在电话里聊天至深夜，好像彼此之间有着说不完的话。我们成了很好的朋友，只是，好朋友。我喜欢韩寒，下载了「一个」后，我就推荐给了她。2012年11月12日，「一个」的首页图是胡曦《再见，童年》插画的第一幅：一个跌倒或是趴倒装死的哆啦A梦，图说是"走开，让一个单身胖子悲伤一会儿"。说来巧，我上高中时做过一个"你是哪种漫画人物"的测试，我的测试结果就是哆啦A梦。所以看到那天的「一个」，顿生亲切，心想，真是"同是天涯沦落人，有人陪泪到天明"，很好！从此，这个悲伤的蓝胖子就成了我的情感寄托。有一天晚上，她和她的闺蜜喝完酒，估计是不胜酒力，很晚给我打电话。电话里她突然朝我吼："你能不能不要每次对我都像哄自己女朋友！好贱！我不喜欢玩暧昧！"吼完电话就挂掉了。第二天我沉默了好久都没有再去打扰她。可是她好像记起来自己昨天说过的话，打电话给我。我没有接，可我总是不忍心。直到很晚，我打了过去，她立即很积极地道歉，说昨晚是一时冲动让我不要介意。我有些强颜欢笑。然后我问她："要不要找个男朋友，省得每天呼天抢地抱怨世道不公，只是因为没有人帮你背重重的包。"然后我又说："哪怕随便找一个男生帮你背包也好啊，人家肯定不会拒绝你

的。"她说："不要！我要我的男朋友来帮我背
包。"我说："我来做你的男朋友好不好？"（当
然是开玩笑的语气。）她说："不要！死也不要！
即使你是我男朋友，你也不在我身边，好讨厌。"
（估计她也只当作了玩笑。）就像真爱狠狠地甩了
一记耳光给暧昧。原来她要的是近在眼前、触手可
及的快乐，而我却⋯⋯

我只好放弃这个念头。后来她说："当这件事没发
生过，我们俩的关系一定还要像以前一样，好不
好？"我说："好。"2012年12月5号，《再见，
童年》系列的第二幅插画：樱桃小丸子委屈地趴在
地上不肯起来。图说是："五楼那只蓝胖子居然还
没来表白，为什么？！"然后我就变成了蓝胖子，
她就成了小丸子。樱桃小丸子："我很认真地问
你一次，你到底喜不喜欢我，你要不要跟我在一
起？"蓝胖胖："要！"就这样，因为「一个」首
页这两幅插画的催化，我们结束了暧昧，终于可以
不用再彼此试探对方的想法。而且我们最终也庆幸
彼此之间确实是两情相悦——或者是两情相怨——
"尼玛你竟然让人家女孩子厚着脸皮找你表白，太
伤不起了！"刚刚确立关系那几天，她天天用这个

来骂我。而我呢，狡黠一笑："我比你晚看了那天的「一个」。"说笑了，其实我想是说的是"对不起"。 像所有正处在暧昧时期的男男女女那样,非常想跟蓝胖子在一起但是又碍于女生的矜持不敢说的小丸子，以及非常喜欢小丸子但害怕一说出口就会失去对方的蓝胖子，以前时有时无地一直互相试探着，但因为那天的「一个」，小丸子和蓝胖子终于勇敢地迈出那一步啦。

105

Q **刘朝问女生**
很多女生都觉得我用白色的手机很"娘"，因此不再
爱我了，这是为啥？我是男生。

A **已为人妻的广告人蛋蛋答刘朝**
前几天看新闻看到韩寒在说赛车，突然掏出来一个
白色的iPhone，我正吃饭，盯着电视忧郁地再也无
法下咽。那个"永远的少年"在哪里？！！！那个
"真的汉子"在哪里？！！！我辗转反侧，感觉不
会再爱了。希望那天他是手机坏了，临时借了他老
婆的。
秉承了多数上海小姑娘的矫情，我看人也是先看
脸，后看衣着，不认识的全凭外表，认识的更倒
霉，还要被挑剔细节。之前有个朋友也是一样，长
得不秀气，浓眉大眼，浑身棕毛，酷爱3C产品，
我一直觉得他挺男人。那日兴致极好，谈论新出
的手机，他说他要买白色的，因为"又精致又时
尚"……我很惊异于他的少女心，同时又鄙夷他的
娘炮品位。
什么时候开始觉得白色即娘炮了呢？我小时候是喜
欢男孩子干净整洁一点的，头发干净，没有鼻屎，

没有腿毛，浑身光溜溜，最好还没有鸡鸡。但是长大以后就变了，这不是特例。姑娘们都知道了男人不可能没有腿毛，更不希望他们没有鸡鸡。要不是因为技术日新月异，手机功能逐渐强大，我还是最喜欢看男人个个手揣大哥大。

当今的社会雌雄难辨，直男和直女们惴惴不安，急需那些当机立断的性别特征来当救命稻草。这么多年过去了，姑娘们其实还是喜欢品位粗犷、会干重活儿的男人，最好又锻炼了　身肌肉，哪怕有时脏一点、臭一点也无妨（当然不能过头），仿佛这才是男人味的体现。水电工是性感的，卡车司机是性感的。总之劳动人民最性感，我们甘愿在你们大汗淋漓后为你们洗衣服。至于"精致""时尚"什么的，一般人很难把握好那个度，一旦过了头，总有一天你会发现，身边女孩子虽然没有减少，但都开始把你当闺蜜了。

Q **知乎用户张艳问**
暧昧是什么?

A **知乎用户@动机在杭州答张艳**
希腊神话中,海域的那边栖身着海妖塞壬。她坐在一片花丛中,唱着有蛊惑魔力的歌。甜蜜的歌声把过往的船只引向该岛,然后撞上礁石,船毁人亡,无一幸免。英雄奥德修斯要经过这片海域,他想听塞壬美妙的歌声,又不想受到蛊惑。于是他吩咐水手们用蜡塞住他们自己的耳朵,把他拴在桅杆上,并叮嘱自己的部下,经过这片海域时,绝不要理会他的呼吁和手势。 奥德修斯听到了迷人的歌声。他绝望地挣扎着要扫除约束,向侍从大声叫唤着,要他们驶向正在唱歌的海妖姐妹。但没人理他。船员们驾驶船只一直向前,直到最后再也听不到歌声,才给奥德修斯松绑。而海妖塞壬,却在船只走后,深深地迷恋起了奥德修斯。她投海自尽了。

这故事说的就是暧昧。暧昧的人都想品尝爱情的美妙,又都想平安回家。他们都想做那个英雄奥德修斯,却没有足够坚实的绳索,于是大部分人都灭亡了。可是,让那些精神孤独、情感丰富、技巧纯熟的俊男美女不去暧昧，和让水手不出海、让英雄不打仗有啥区别？

暧昧的本质在诱惑，基本要点在激发对方的征服占有欲，而不激发对方的防御心。所以暧昧高手泡人，最后看起来都像是被泡。暧昧中的信号，必须模糊不清，用友谊也能解释得通。直接的语言表白和身体动作，通常都意味着暧昧的终结，是暧昧中的大忌。

正是那暧昧中那一个个击中你心灵的温暖瞬间，构成了海妖歌声中一连串的迷人音符。闪闪发光。

故事的最后，英雄奥德修斯抵御住了诱惑，海妖却因为迷恋他投海自尽了，这告诉我们，暧昧真是个残酷的斗争，谁动情谁牺牲。

只是，个知道那位听过海妖歌声的英雄，偶尔想起那片曾经想去却永远到不了的neverland，心中会不会也泛起一些孤独的悲凉。

(107)

Q **千山暮雪1024问聪明人**
  一个千古难题——女友和妈妈同时落水先救谁？

A **2013年司法考试助考知识题库答千山暮雪1024**
  小案例：梅仁兴的老妈和其女友同时掉入河中，他救助了女友而没有救助其老妈，结果老妈溺亡，梅仁兴构成何罪？
  解析：构成不作为的故意杀人罪。梅仁兴对其老母有法律上的救助义务，而对其女友没有法律上的救助义务，所以基于对其老母法律上的救助义务，能救助而不救助导致结果发生的，构成不作为的故意杀人罪。

> Q⁹⁴ 延伸阅读

人性本车 ／ 走走

　　性本能是弗洛伊德的一个重要命题，他的全部学说基本以性本能为轴心。今天我提出的重要命题是人性本车：汽车从我们生活的一部分成为我们肢体的一部分，进而形成我们的人性。

　　由钢铁、铝合金和玻璃等构成的人性之本，具有自动化、使人产生幻想、随时随地可以使用且极易上瘾等主要特征（注：如使用不当，或会致人死亡）。女人同样可以通过学会驾驶汽车而不是使用自己的肉体来满足潜在的进攻欲望——这样做的代价就是地球表面充斥着无数轮胎，它们此起彼伏，后浪与前浪等距呼应，但最终会在修理厂结束。

1

　　雨天，我和新认识没多久的女友在街上走。她长得不错，有很高的回头率。突然，一个个子明显比我矮小的男人向她冲来，我帮助她及时躲开了。我们买了易拉罐饮料喝。我想和她在街上做爱。她提出要把我和她绑在一块儿，虽然一开始不太适应，但是很快习惯了。她拒绝抚摸我，理由是她的手上拿着东西。风也让我觉得不舒服，它们把她的长头发吹到了我脸上，怪不舒服的，我应该建议她把头发剪掉。

　　使我吃惊的是她居然是一个处女。谁都知道，和处女分手实属不易，我想我得付出高昂代价了。我深深插入，她的大声呻吟真让人兴奋。我的前女友正好相反，总是紧咬牙关不出一点儿声。风雨抽打着我们，我觉得冷，但是她的身体内部十分温暖，真让人迷恋。

　　我越做越快，越做越猛，她开始喊叫起来。虽然我们所在的街区属于高级住宅区，居民并不太多，但我还是担心她会吵到邻居。她突然告诉我，她刚做了处女膜修补手术。我仍然担心，担心她会怀孕。

　　告诉我这段经历的男人一个月前刚买下B车。这一个月，没有任何迹象显示出它对他的影响，直到有一晚，恰好是个雨天，他开得很快以至于差点和一辆小车撞上。他开始关心刹车系统。显然，他对女友的性感受均指向驾驶过程。从他的描述中可知，他对该车的外型、音响系统、空调系统尤其是对发动机性能满意。但对敞篷时风的回流不甚满意（建议他在防滚支架后安装两块网状挡风板，而不是做出剪去头发的简单反应）；对女友拒绝抚摸自己的不满我在有幸参观了他的座驾后了然：没有杯托。他并无处女情结，事实上，他刚刚得知轮胎可以修补。而想起前女友这一细节是解释他对安全带、软顶不适应的关键所在。我详细盘问他，原来他之前另一座驾品牌特长即为解决隔音问题。且由于配备司机的缘故，他很少使用安全带。

2

"我希望自己有一天能身穿名牌西装、喝着伏特加马提尼酒、身边有许多美女，总之我希望自己做一个孤胆英雄。"（他目前是个戴眼镜的瘦弱的研究生。）然后呢？"很快我会接到新的任务，十分艰难，我被敌人抓走，关在暗无天日的地窖。于是我想到自慰的办法，用喷射出的精液腐蚀门锁。"（原来避孕套才是无敌防护罩？！）总之在无数次辛苦喷泉之后，门锁果然开启，他逃出牢笼。你想给我编的是悲剧还是喜剧？我问他。"悲剧，只有悲剧才能经久不衰。"于是他假设他的阳具不懂得见好就收，仍然对着门锁强迫运动。它被门卡住了。说这话时我们身后的咖啡馆门厚重地"喀哒"一声（这使他迅速回头看了一眼）。"就这样，我再次回头看，看到它被折断的一截。"他责备自己为何让这小东西自己走。

　　这个故事的深层根源显然来自他积累的影视教育。首先，他对自己设定的最初出场与动作片的经典男主人公形象——永远没有尝过失败滋味的世界顶尖间谍詹姆斯·邦德如出一辙，詹姆斯·邦德毁坏过不少名车，其中要算B车对007帮助最大。在《末日危机》中，Z8能用激光束破坏其他车辆的电子系统，但在发射两枚导弹击毁了直升机后，却被从后面追来的大锯锯成了两半落到河里。青少年时期痛心疾首的镜头经验形成了他创作的潜意识。他对自身性器官的担忧是担心自己也许没有能力拥有B车。在他的想象中，"小东西自己走掉"即指他因为没有B车，同时丧失了建立任何性关系的可能。

　　　3

　　我去相亲，朋友向我介绍，他有自己的事业、有很多钱、身边不乏女人。他的眼睛很大，单眼皮。他带我去参观他的事业，我以为我们会去一幢现代化大楼，没想到，进了一家工厂，到处都是发动机，它们疯狂地旋转，我想逃走，但他拦住了我，并且强迫我抚摸他。它特别长。事后我独自离开，外面蓝天白云，我的心情竟然很好。

　　"眼睛很大，单眼皮"的外表特征给这个女人留下了深刻印象。但无疑，这正是对B车正面造型的拟人投射。那具"特别长"的男性器官显然可以代表B车修长圆滑的前车头。超长的车头下隐藏的是直列纵置6缸24气门带Double-Vanos技术的发动机。她一定试过B车，试车时它的火爆表现所带来的好心情一直延续到她一场突如其来的云雨之后。不过叙述者对我这番分析的反应有些奇特，她反驳我她从未开过车，只是当天一位女友向她提起，原以为由BUSINESS、MONEY、WOMAN简写构成的车名，实则只是"巴伐利亚发动机工厂"的缩写。女友更告诉她，德国杂志《男人的汽车》通过对两千多名年龄在二十岁到五十岁之间男性驾车者的抽样调查发现，驾驶B车人的性生活频率最高，每周平均性生活次数为2.2次。由此可以明白，虽然她目前无法拥有B车，但它却是她受诱惑的幻想。她对性产生渴求的原因正在于此。它给了她一次激情的勇气。

图书在版编目（CIP）数据

所有人问所有人 / 一个工作室主编 . — 长沙：湖南人民出
版社，2013.6

ISBN 978-7-5438-9443-3

Ⅰ.①所… Ⅱ.①一… Ⅲ.①社会科学–文集 Ⅳ.① C53

中国版本图书馆 CIP 数据核字 (2013) 第 133628 号

所有人问所有人

一个工作室 主编

出 版 人	谢清风	
出 品 人	陈 垦	
出 品 方	中南出版传媒集团股份有限公司	
	上海浦睿文化传播有限公司	
	上海市巨鹿路 417 号 703 室（200020）	
责任编辑	夏新军	
装帧设计	何 禾	
出版发行	湖南人民出版社	
	长沙市营盘东路 3 号（410005）	
网 址	www.hnppp.com	
经 销	湖南省新华书店	
印 刷	小森印刷（北京）有限公司	
版 次	2013 年 8 月第 1 版	
	2013 年 8 月第 1 次印刷	
开 本	32 开	
印 张	9	
书 号	ISBN 978-7-5438-9443-3	
定 价	36.00 元